Émilie du Bois-Franc

Les contes de la Baie

Tome II

Émilie du Bois-Franc

Les contes de la Baie

Tome II

Cyrille Sippley

Les Éditions
de la Francophonie

32114473

Illustration de
la couverture: **Manon Cormier**

Couverture: **Info1000 mots inc.**

Mise en pages: **Info1000 mots inc.**
info1000@sympatico.ca • 418-833-3063

Corrections
d'épreuves: **Linda Breau**

Production: **Les Éditions de la Francophonie**
55, rue des Cascades
Lévis (Qc) G6V 6T9
Tél.: 1-866-230-9840 • 1-418-833-9840
Courriel: ediphonie@bellnet.ca

Distribution: **Messagerie de Presse Benjamin inc.**
101, Henry-Bessemer
Bois-des-Filion (Québec) J6Z 4S9
Téléphone: 1-450-621-8167
Télécopieur: 1-450-621-8289
Extérieur: 1-800-361-7379

PS
9137
. I66
E55
2009

ISBN 978-2-89627-171-9

Tous droits réservés pour tous pays
© 2009 Cyrille Sippley
© 2009 Les Éditions de la Francophonie

Dépôt légal – 1er trimestre 2009
Bibliothèque nationale du Canada
Bibliothèque nationale du Québec
Imprimé au Canada

Avertissement

Même si les lieux de l'action sont authentiques, ce récit est fictif et toute ressemblance avec des personnes réelles serait le résultat du hasard. Les faits historiques servent uniquement à créer un cadre de vraisemblance.

Dédicace

Je dédie ce livre à mon petit-fils,

Maxime,

âgé de dix ans
au moment du lancement,
tout comme Paul,
un des héros du récit.

PARTIE

Depuis leur mariage, en 1895, David Ignel dit Manuel et sa femme, Vitaline, habitaient au Bois-Franc. Leurs seuls et uniques voisins s'y étaient installés deux ans auparavant, à un kilomètre à l'ouest. Leur famille comptait deux garçons, âgés respectivement de cinq et sept ans. Ils auraient bien aimé qu'une petite fille vienne s'y ajouter, mais ce beau rêve ne semblait pas devoir se concrétiser.

À trente ans, David n'avait jamais exercé d'autre métier que celui de bûcheron. Homme de chantier, il se déplaçait là où le travail l'appelait. Aussi était-il assez souvent éloigné du foyer, pour des périodes pouvant s'étendre jusqu'à deux mois. Toute brave et courageuse qu'elle fût, Vitaline trouvait parfois ces absences pénibles à supporter. C'était, de temps en temps, le questionnement des enfants qui ramenait à la surface sa mélancolie latente.

— Où qu'y est, papa? C'est quand qu'y r'vient à la maison?

Cependant, elle ne verbalisait pas souvent son ennui, afin de ne pas susciter chez son mari de tracas supplémentaires aux désagréments de l'éloignement.

Un jour de juillet, après le repas du soir, pendant que les deux garçons s'amusaient dehors, Vitaline proposa à David:

— Qu'est-ce que tu dirais d'aller passer que'ques jours chez ma sœur, Marie, à Tracadie? A nous invite toujours.

— C'est vrai qu'ça fait plusieurs fois qu'on en parle.

— A s'rait tellement contente. Et moi aussi. Je m'ennuie d'elle. Puis tu t'entends bien avec François.

Vitaline n'osait pas dire exactement ce qui lui hantait l'esprit, mais David devina facilement le secret qui remuait le cœur de son épouse. Il y avait un orphelinat à Tracadie.

C'est dans ce village, situé au nord de Néguac, que David et Vitaline s'étaient rencontrés. Ça s'était passé durant une fête des Robichaud, un samedi soir, alors que David faisait chantier dans ce coin de pays. Il avait été invité à la fête par Jérôme, le frère de Vitaline, bûcheron lui aussi.

Les jeunes parents avaient souvent parlé d'adopter une petite fille, ces derniers mois. Vitaline en rêvait, tellement ce manque à combler l'habitait au quotidien. David, de son côté, ne s'y opposait pas. Aussi fut-il enclin à lui donner espoir.

— Sais-tu, c'est p'têt' possible.

— Penses-tu? s'exclama Vitaline, ne cherchant pas à dissimuler l'émotion que provoquait en elle ce «peut-être» lumineux.

— Le chantier rouve pas avant septembre, et les travaux d'la ferme sont pas en r'tard. Ça s'rait probablement un bon temps. J'pourrais d'mander à Joachin de j'ter un coup d'œil aux animaux. J'suis sûr qu'y s'en f'rait un plaisir.

— Oh, David. J't'aime donc!

— Fière-toi[1] pas trop vite. Su' l'bateau d'marchandises jusqu'à Tracadie, y'a toujours d'la place, mais y faut encore s'assurer qu'monsieur Ozouff pourra nous prendre avec lui jusqu'à Loggieville.

— Si tu veux, j'irai au village, demain, avec les garçons, pis j'd'manderai à monsieur Ozouff si y peut nous réserver des places pour la première s'maine d'août.

— Oui. J'suis ben d'accord. Pour aller, ça pose jamais de problème. Au r'tour, des fois, sa cargaison est tellement grosse qu'y peut pas prendre de passagers.

Pour ne pas ternir la joie éveillée dans le cœur de son épouse, il ajouta :

— Mais c'est pas souvent qu'ça arrive.

Monsieur Ozouff, comme tout le monde l'appelait, c'était le marchand d'Escuminac, un village de pêcheurs sis face à la mer, desservi

---

1. L'utilisation du verbe « fièrer » (se fièrer) n'a plus cours, de nos jours, dans la langue standard. Cela signifiait devenir très fier, très heureux d'une action, d'une décision ou d'une situation. On retrouve, à présent, comme équivalent : « se réjouir », ou, dans certains cas, « s'enorgueillir ».

---

par le diocèse de Chatham, à trois kilomètres, environ, du Bois-Franc. Il était venu du nord, un jour, avec sa famille, et avait ouvert un magasin général à quelque distance de la chapelle, où se réunissaient, chaque dimanche, les membres de la petite communauté. Il s'exprimait dans une langue soignée, cultivée. Il employait toujours le mot juste, sans effort apparent. Puisqu'il avait l'habitude d'appeler tout le monde «monsieur» untel ou «madame» unetelle, une pratique inhabituelle dans le milieu, les gens du village, par réflexe, avaient fini eux aussi par toujours le nommer «monsieur Ozouff», ce qui paraissait lui plaire. Par effet associatif, la même politesse avait été étendue à son épouse.

Aucun de ses cinq enfants n'avait montré d'intérêt, jusque-là, pour prendre la relève du métier paternel. Tous, l'un après l'autre, étaient allés chercher fortune dans les centres urbains. Mais le père ne perdait pas espoir qu'un jour, l'un d'entre eux surgisse et manifeste l'intention de devenir son associé.

En plus de tenir le seul magasin de la région, Joseph Ozouff était également maître de poste et télégraphiste. En ce tout début du vingtième siècle, la télégraphie perdait graduellement de sa popularité avec l'arrivée récente du téléphone. Quoique, à cette époque, la téléphonie fût encore peu fiable — des pannes affectant souvent le réseau nouvellement installé —, l'avènement de ce système de communication avait révolutionné la vie des habitants, mettant le continent entier à la portée de la voix du jour au lendemain. Bien qu'elle se répandait rapidement en région, la téléphonie n'était cependant pas encore parvenue jusqu'au petit village d'Escuminac, ni dans la communauté plus étendue de Baie-Sainte-Anne, vers l'ouest, dont la population, toujours croissante, dépassait déjà en nombre celle du village.

Pour les imprévus et les approvisionnements occasionnels, le marchand n'avait qu'à se rendre à Hardwicke, à une distance de dix kilomètres, où un grand magasin général de la compagnie W. S. Loggie était en activité depuis plusieurs années. Mais deux ou trois fois par mois, il voyageait jusqu'à Loggieville, chez le grossiste de cette même compagnie, quelque trente kilomètres plus loin, afin de refaire ses réserves de marchandises. Parfois, il poursuivait jusqu'à la ville de Chatham. Le trajet aller-retour lui prenait une longue journée de quatorze heures, quand la route était convenable, ce qui n'était généralement pas le cas. La plupart du temps, il y passait la nuit, pour revenir le lendemain.

L'hiver, Joseph Ozouff empruntait occasionnellement la voie des glaces. Il se rendait jusqu'à la baie Sainte-Anne, qu'il traversait, puis, longeant la côte de Hardwicke, de Baie-du-Vin et de Black-River, il contournait la Pointe-aux-Carr, pour aboutir à la hauteur du quai de Loggieville, d'où l'on apercevait les entrepôts des compagnies W. S. Loggie et A&R Loggie à proximité. Cette voie rendait le trajet aller-retour plus rapide que la route. Mais il fallait être prudent, car des tempêtes survenaient occasionnellement, et si l'une d'elles devait surprendre le voyageur loin de la côte, ou, encore, s'il ne trouvait pas refuge rapidement, il pouvait perdre son sens de l'orientation et tourner en rond des heures durant, voire disparaître à tout jamais.

En ce tout début du vingtième siècle, les chances de se rendre en ville pour les habitants d'Escuminac et de Baie-Sainte-Anne étaient peu nombreuses. Il y avait bien quelques propriétaires de chevaux dans le village, mais, la plupart du temps, ceux-ci étaient occupés aux travaux des champs, à la pêche sur la glace ou à la coupe du bois. L'été, le trajet vers la ville s'effectuait parfois en bateau. De par ses fonctions, le marchand offrait une occasion régulière de s'y rendre à un prix très modique et plusieurs en profitaient. Aussi voyageait-il rarement seul. Cependant, la plupart des gens de la Baie ne visitaient la ville qu'en cas d'extrême nécessité.

n ce début d'août 1903, la famille Manuel n'eut pas de problème, finalement, à trouver passage avec Joseph Ozouff, qui leur promettait, du même coup, un siège pour le retour huit jours plus tard. Ainsi, c'est avec fébrilité qu'ils s'installèrent dans le char tiré par deux chevaux, malgré le peu de confort qu'offrait ce véhicule. On avait bien prévu des coussins de crin pour les passagers, confectionnés par madame Ozouff elle-même, mais ils contribuaient assez peu à amortir les soubresauts de la voiture sans ressorts, sur une route aux éternels cahots. Cependant, rien ne semblait pouvoir ternir l'éclat de l'exubérance qui régnait, ce jour-là, pour des raisons très différentes, dans le cœur de Vitaline et dans celui des deux bambins. Ces derniers étaient transportés de joie, mus par l'anticipation de voyager en bateau pour la toute première fois. Quant à la maman, elle berçait dans son cœur la douceur d'un espoir à combler.

Un vaisseau de marchandises de A&R Loggie assurait la navette entre Loggieville et Bas–Caraquet deux fois par semaine, faisant un arrêt à Tabusintac et un autre à Tracadie pour approvisionner les magasins et les usines de la compagnie installés dans ces communautés entre 1876 et 1902. Au retour, il en ramenait habituellement du poisson et des mollusques, principalement du hareng et de la morue salés, des coques et des huîtres en saison. Il prenait aussi à son bord les quelques passagers qui se présentaient. Partant de Loggieville tôt en après–midi, il ne revenait que le lendemain.

La température était clémente ce matin–là et le voyage jusqu'à Loggieville se déroula sans encombre. Après un goûter pique–nique savouré sur la grève à proximité du quai, la petite famille embarqua pour la traversée qui dura quatre heures, incluant l'arrêt d'une demi–heure à Tabusintac pour le déchargement de marchandises, le chargement de poisson et de mollusques ne s'effectuant qu'au retour, le lendemain.

Il s'agissait d'un genre de goélette aménagée pour transporter le maximum de cargaison. Une section du pont était réservée aux passagers occasionnels, des sièges ayant été installés sous un auvent de toile servant à les protéger contre les rayons trop ardents du soleil ou contre les averses.

Marie et son époux, François, les attendaient à l'embarcadère de Tracadie, ayant été prévenus de leur arrivée par le courrier, la semaine précédente. Après les poignées de main, les embrassades et les effusions de larmes à travers les éclats de rire, la troupe joyeuse se dirigea vers le landau de François.

— Non, mais qu'est-ce qui vous a enfin décidés de v'nir nous voir? lança Marie, une fois l'attelage en route. Depuis l'temps qu'on vous invite.

Vitaline n'avait pas voulu révéler dans sa lettre la principale raison de sa visite, préférant en faire une surprise et confier ce secret à Marie en tête à tête.

— On y pensait depuis longtemps, mais ça adonnait pas, répondit Vitaline. Avec les enfants et le ménage, le jardin et les animaux d'la ferme... Puis David est presque toujours parti au chantier.

— J'peux comprendre ça. C'est juste qu'on s'est pas vus depuis not'mariage. Ça fait déjà trois ans. On s'écrit de temps en temps, mais c'est pas pareil.

— Et vous aut'? Vous visitez pas plusse, répliqua Vitaline en riant.

— C'est vrai, et pour à peu près les mêmes raisons. C'est encore plusse difficile depuis qu'François est entré au magasin général. Y'a pas d'vacances.

— Tu travailles pu au chantier? questionna David.

— Non. Ça fait yinque un mois. Ah, c'était pas une vie. J'étais jamais à la maison. Quand Marie est tombée enceinte, j'me suis dit : «*That's it*». Pu d'chantier pour moi. J'ai été chanceux. Loggie a ouvert son magasin ici juste au bon temps. Ça paie pas tout à fait autant qu'au chantier, mais c'est permanent. On peut conter là-d'sus.

— T'es enceinte? s'écria soudain Vitaline en serrant le bras de Marie.

— Oui, de quat' mois. Ça paraît pas encore beaucoup. J'avais hâte de t'l'apprendre.

— Comme j'suis contente pour toi! Depuis trois ans que tu l'souhaitais tant.

— Toutes mes félicitations à vous deux! renchérit David.

— Enfin, on va connaître le bonheur d'une vraie famille, reprit Marie.

— Et Jérôme, lui? demanda David à François, après un instant de silence.

— Jérôme, lui, y court toujours les chantiers. Y semble aimer ça. Toi aussi, à c'que j'entends.

— Oui, pour le moment. Ça fait un bout d'temps que j'pense à faire aut'chose. J'avais considéré entrer à la shoppe[2] à poisson que

---

2. Shoppe: De l'anglais « *shop* ». Usine de transformation de poisson.

Loggie a ouvert à la Pointe[3], que'ques années passées, mais c'est saisonnier et ça paie moins qu'au chantier. Tant que j'pourrai travailler à proximité d'chez moi, j'me plaindrai pas. Et l'été, ça m'donne un peu d'temps d'libre pour la ferme.

— Ces Loggie-là, y sont fourrés partout.

— Tu peux l'dire. On les r'trouve à la grandeur d'la province. Y sont aussi installés à Kouchibouguac et à Shédiac, pis à P'tit-Rocher, à Inkerman, à Cap-Bateau, à Shippagan et dans ben d'aut' communautés.

— Sans compter leu nombreux commerces à Chatham. Y doivent êt' riches. J'me d'mande d'où y viennent?

— Mon père m'a dit une fois que leur ancêtre était arrivé d'l'Écosse, plus d'cent ans passés, pour se fixer à Loggieville.

— C'est sûrement d'là que vient l'nom d'ce village.

---

3. La Pointe: Pointe Escuminac, un bras de terrain tourbeux où un phare guide la navigation, et dont l'extrémité rocheuse s'étend dans la mer, situé à environ trois kilomètres du village du même nom.

— Ça fait yinque sept huit ans qu'on y'a donné ce nom-là, un bout de temps après qu'William Stewart Loggie est venu y ouvrir son premier commerce.

— Comment ça s'appelait avant ?

— Black Brook. Y'a du monde qui l'appelle encore de même. William Stewart, lui, y serait né à Burnt Church. Il est le p'tit fils de ce premier immigrant venu d'l'Écosse. La compagnie qu'y a fondée porte son nom. Y est rendu pas mal gros.

— En tout cas, y crée beaucoup d'emplois.

— Nous arrivons, interrompit Marie. Vous pourrez enfin vous r'poser. Ces pauv's enfants ont l'air épuisés. Et vous devez crever d'faim, aussi. J'vous ai préparé un bon fricot. Vous allez voir !

CHAPITRE

e lendemain, Vitaline manifesta à David son intention de se rendre immédiatement à l'orphelinat. La veille, elle avait confié à Marie son désir d'adopter une petite fille. Celle-ci s'était aussitôt empressée de s'offrir pour garder Paul et Robert durant leur absence. De son côté, François avait mis son cheval et son landau à la disposition de ses invités pour la durée de leur séjour.

L'orphelinat était situé au quatrième étage d'un imposant édifice en pierre, construit en 1896 pour remplacer l'ancien bâtiment en bois, devenu inadéquat. Il abritait également une léproserie, un cloître et l'hôpital général. La direction en avait été confiée aux Religieuses Hospitalières de Saint-Joseph, dépêchées de Montréal expressément, plusieurs années auparavant.

Malgré que l'institution abritât de nombreux orphelins, le couple fut immédiatement attiré par la petite Émilie, qui multipliait les sourires et les mimiques câlines en leur présence, comme si elle eut voulu véritablement les charmer. Elle avait vu le jour à Pointe-Sapin, trois ans plus tôt, le 8 juillet 1900. Elle était orpheline depuis sa naissance, sa maman n'ayant pas survécu à l'enfantement. Son papa, ne pouvant pas en prendre soin, l'avait confiée à l'orphelinat. Elle n'avait donc jamais connu d'autre vie que celle vécue dans cette maison de bienfaisance.

En apprenant que la jeune enfant était née à quelques kilomètres à peine de chez eux, Vitaline et David furent davantage portés vers elle. Ils revinrent la visiter tous les jours et elle occupa de plus en plus de place dans leur cœur.

Huit jours plus tard, ils repartirent vers le Bois-Franc avec un ajout important à leur petite famille.

Malgré la situation financière plutôt modeste de sa famille d'accueil, Émilie grandit heureuse, ses parents adoptifs lui prodiguant autant d'amour qu'à leurs deux autres enfants. Aussi, s'entendait-elle très bien avec ses deux frères aînés. Elle adorait les animaux de la petite ferme. Son exubérance et sa jovialité naturelle s'exprimaient fréquemment par des éclats de rire, qui résonnaient comme un tintement de cloches festif dans le cœur de son papa et de sa maman. Elle était comme un rayon de soleil dans leur vie.

— C'est d'main l'anniversaire d'naissance d'Émilie, annonça Vitaline à David, un soir de juillet, une fois les enfants endormis. A va avoir huit ans.

— Huit ans déjà? Qu'l'temps passe!

— Oui. A l'est tellement mignonne et épanouie pour son âge. À les voir s'amuser ensemble, tous les trois, on dirait pas qu'a fut adoptée. J'suis tellement contente qu'on a pris cette décision.

— Moi aussi. A fait maintenant partie de not'vie au même titre que les garçons. C'est rare qu'j'y pense, qu'a l'est pas de not'sang. En tout cas, j'me sens pas différent avec elle qu'avec les deux aut'.

— J'vois ben ça et ça m'rend heureuse. Moi aussi j'sens que c'est vraiment ma fille.

— As-tu pensé d'souligner ça d'main?

— Oui, justement. J'y réfléchis depuis un bout d'temps et j'voulais t'en parler. Si t'es d'accord, on organiserait une p'tite fête autour d'un r'pas spécial. On fêterait en même temps l'anniversaire de son adoption. Ça va faire cinq ans l'mois prochain.

— Une bonne idée.

— On serait p'têt' mieux d'garder ça secret pour que ce soit une surprise.

— Ça s'ra pas facile. A va ben t'voir préparer des mets inhabituels.

— Oh, j'crois que j'peux m'arranger.

La maman avait également décidé de ne pas en parler à Paul et à Robert, de peur que l'un d'eux s'oublie et laisse sortir le chat du sac.

Le lendemain, vers quinze heures, elle appela les trois enfants. Paul et Émilie s'amusaient dans la cour alors que Robert aidait son père dans le jardin.

— Iriez-vous au magasin pour moi ? J'aurais besoin de que'ques articles.

— Oui ! Oui ! s'empressèrent-ils de répondre.

Ils aimaient bien aller au village, surtout au magasin général, où il y avait tant de belles choses à voir, tant d'objets et de friandises que leurs parents n'auraient jamais le moyen de leur acheter. Mais il leur suffisait de pouvoir les regarder pour être transportés de joie. Ils en parlaient sur le chemin du retour, prétendant s'être procuré les plus fascinants d'entre eux, les bonbons les plus exotiques, les jouets les plus désirables, s'imaginant les sentir peser dans le panier, au bout de leurs bras. Ils en avaient le cœur tout bouillonnant d'excitation.

— Tiens, dit la mère à l'aîné. Donne cette liste au marchand et voici de quoi payer. Soyez prudents. Ne vous écartez pas d'la route et ne traînez pas au village.

— Non, maman. On s'en r'viendra tout'suite, promit Robert, qui était fier de jouer le rôle de gardien envers son plus jeune frère et la benjamine, un sentiment que ses parents ne manquaient pas de renforcer, quand l'occasion se présentait.

À vrai dire, la maman n'avait pas véritablement besoin de ces articles pour la fête. Il s'agissait d'un prétexte pour lui permettre de décorer la maison et de préparer le repas spécial qu'elle projetait à l'insu des intéressés. Elle disposerait ainsi d'un peu plus d'une heure, le temps que les enfants se rendent au village et en reviennent.

CHAPITRE

Vers seize heures trente, Vitaline avait fini tous les préparatifs. David avait donné un coup de main aux décorations. Au cours de la dernière semaine, la maman avait confectionné pour Émilie, en cachette, une jolie robe qu'elle allait lui offrir en cadeau. Son talent de couturière, hérité de sa mère, lui permettait de satisfaire presque tous les besoins vestimen‑ taires de la famille. À l'occasion, elle mettait aussi son habileté au service des membres de la communauté et contribuait ainsi à assurer aux siens quelques revenus supplémentaires.

Ils attendaient l'arrivée des enfants d'une minute à l'autre. «À cette heure, ils devraient déjà êt' rev'nus», songea la maman en jetant un coup d'œil à l'horloge.

Un peu avant l'heure du repas, qui était prévu pour dix-sept heures, les deux parents commencèrent à s'inquiéter. Vitaline, surtout, manifestait son agitation.

— J'comprends pas qu'y soient si en r'tard. Y'ont pas l'habitude de traîner en ch'min.

— Non. T'as raison. Si y sont pas arrivés dans cinq minutes, j'vais à leur rencontre.

Une fois les cinq minutes écoulées, et voyant que les enfants ne rentraient toujours pas, David se mit à marcher en direction du village. Il avait espoir de les rencontrer en route. Mais plus le temps passait, plus son inquiétude croissait. Aussi parcourut-il d'un pas accéléré les trois kilomètres et demi séparant sa demeure du magasin. «Où peuvent-ils donc êt', Grand Dieu?» se disait-il. «Si' fallait qu'y leur soit arrivé malheur…»

Au village, il se rendit directement chez le marchand. Un coup d'œil circulaire rapide lui confirma que les petits ne s'y trouvaient pas.

— Monsieur Ozouff, avez-vous vu mes enfants c't'après-midi? lui demanda-t-il, sans avoir pris le temps de le saluer, tellement l'anxiété le rongeait.

— Monsieur Manuel! Mais, que se passe-t-il? Vous avez bien l'air inquiet.

— J'cherche mes enfants. Y sont censés êt' v'nus ici c't'après-midi. Les avez-vous vus?

— Eh bien, oui. Ils sont venus ici cet après-midi acheter quelques articles, puis ils sont repartis aussitôt.

— Vers quelle heure est-ce qu'y sont r'partis?

— Attendez un peu, eh... Ah, ça y est. C'était au moment même où le facteur est arrivé. Lui, il est très ponctuel. Chaque jour, il se montre à quinze heures quarante-cinq.

En consultant sa montre, David nota qu'il était dix-sept heures trente.

— Ça fait plus d'une heure et d'mie qu'y ont quitté l'magasin, constata-t-il avec consternation. Grand Dieu! Mais où donc sont-ils passés?

— Ne vous inquiétez pas trop, monsieur Manuel. Il peut y avoir mille et une explications à cela. Des enfants, vous savez que ça s'amuse et que ça perd la notion du temps. Ils ont peut-être fait un petit détour. Ils sont probablement de retour à la maison à l'heure qu'il est.

— J'demande qu'à vous croire. J'pense ben que j'ai rien d'mieux à faire pour l'moment que de r'tourner chez moi.

— Tenez-moi au courant, monsieur Manuel.

Sur le chemin du retour, le père emprunta les détours qu'il connaissait, d'anciennes pistes d'accès à des chantiers forestiers : celui de l'étang, celui de la bleuetière et même celui du pin calciné, que les enfants évitaient, à moins d'être accompagnés de leurs parents. De temps en temps, les mains placées en cornet autour de la bouche, il appelait chacun à tour de rôle. Mais il n'obtint pas de réponse et ne put déceler aucun signe de leur passage, ce qui accrut encore son inquiétude.

« Si y s'sont pas aventurés dans les détours, comment ça s'fait que je les ai pas rencontrés tout à l'heure ? » se disait-il. « Pourvu qu'y soient de r'tour à la maison… ». Et l'angoisse le tenaillait de plus en plus.

Avant même d'arriver chez lui, il sut que les enfants n'étaient pas revenus. Il aperçut de loin sa femme, seule sur le seuil de la porte, scrutant le chemin, guettant son arrivée. Il la vit porter les mains au visage et entendit ses lamentations dès qu'elle se rendit compte qu'il rentrait sans ses chers petits. Lui-même se sentit faiblir et sa gorge se noua à la vue de l'immense chagrin de Vitaline, en même temps qu'il prenait conscience que sa pire crainte était confirmée.

Ayant pris quelques minutes pour essayer de calmer son épouse du mieux qu'il put, David retourna au village, muni de son fanal, avec l'intention de regrouper des amis et lancer une battue. Ce ne serait pas facile dans les ténèbres, qui s'installeraient bientôt, mais il fallait tout tenter pour retrouver les enfants.

Il se rendit chez Antoine Thibodeau, celui qu'on appelait le «maire» du village, parce que tous se fiaient à son bon jugement dans les affaires de la petite communauté. Ayant appris la disparition des trois enfants de David, Antoine eut tôt fait de répandre le message. En moins de trente minutes, une quinzaine d'hommes étaient rassemblés devant sa demeure, chacun muni d'un fanal au kérosène en prévision de la noirceur. Puis, ils se dispersèrent dans les bois après avoir formé des équipes, et concentrèrent les fouilles des deux côtés de la route menant vers le Bois-Franc.

De part et d'autre, on entendait les appels qui étaient lancés à intervalles réguliers :

— Émilie ! Paul ! Robert ! Oooééé !

À mesure que le temps passait, le cœur du père s'alourdissait et l'espoir de retrouver ses enfants menaçait de l'abandonner. Mais, soudain, un cri s'éleva :

— Hé ! J'ai trouvé quelque chose !

David, qui fouillait le sous-bois à cinquante mètres de là, se précipita vers la voix, l'âme remplie d'espoir. À la vue de la casquette défraîchie que tenait l'homme, cependant, l'étau de son angoisse resserra son étreinte.

— Non. Ça appartient pas à mes enfants, déclara le père sur un ton de voix qui en disait long sur la profondeur de sa déception.

Constatant la déconfiture de David, celui qui avait sonné l'alerte fut chagriné d'avoir été, bien malgré lui, porteur de fausses promesses, et il s'en excusa. D'une main sur l'épaule, David le rassura.

Quand la noirceur s'installa définitivement, on alluma les fanaux et on continua à fouiller la forêt. Au bout de trois heures de recherches infructueuses, les hommes furent rappelés. On dut admettre qu'il valait mieux attendre au matin pour poursuivre la battue, au lieu de s'éloigner davantage du village dans l'obscurité et risquer des blessures. David retourna donc à la maison, le cœur très lourd, se demandant comment il allait pouvoir supporter l'immense déception de son épouse.

Ils passèrent tous deux une nuit terrible, tentant de se consoler mutuellement, imaginant à tour de rôle les pires et les meilleurs scénarios, versant tantôt dans le déses‑poir, pour s'accrocher ensuite à un brin d'espoir quelconque qui sourdait à leur esprit, tout menu fut‑il. La maman, surtout, se culpabilisait.

— J'aurais jamais dû les envoyer au magasin, répétait‑elle. D'autant plus que j'avais pas vrai‑ment besoin d'ces articles.

Et David s'efforçait tant bien que mal de la rassurer.

— Mais non, chérie. Chasse ces idées. Tu t'tourmentes sans raison. T'as absolument rien à t'reprocher. I' y vont souvent, au village, les enfants. Comment aurais-tu pu deviner…?

— Qu'est-ce tu penses qu'y a pu leur arriver, toi?

— D'après moi, y s'sont éloignés du ch'min, pour que'qu' raison, et y s'sont écartés. J'vois pas d'aut' possibilités. À c'temps-ci d'l'année, y sont pas en danger. Les nuits sont chaudes et le jour, y fait beau.

— P'têt', mais tu t'souviens d'la petite Hélène qui s'était perdue à Claire-Fontaine, que'ques années passées? C'était l'été aussi. La pauvre p'tite est restée traumatisée. A s'en r'sent encore aujourd'hui.

— Oui, mais elle, a l'avait yinque sept ans et a l'était toute seule. Les nôt', y sont plus âgés et y sont trois à s'encourager. Robert a douze ans. C'est un grand garçon, déjà. Y s'en tireront bien, tu verras. J'ai confiance qu'avec le temps, i' y penseront même pu.

Il traduisait en paroles ce qu'il souhaitait qui fut, autant pour se donner espoir que pour rassurer son épouse.

— Les pauv' p'tits doivent êt' à moitié morts de peur, souffla la mère.

— C'est sûrement ça leur plus grand malheur. Si l'matin peut arriver, j'suis sûr qu'on va les r'trouver.

— Bonne sainte Anne, j'vous supplie, faites que mes enfants me r'viennent sains et saufs.

Ils vivaient un cauchemar qui semblait ne plus devoir finir, la nuit refusant de céder la place à l'aube.

Quand enfin on put distinguer à l'horizon la lueur du jour naissant, David dit à Vitaline :

— Je r'tourne au village. Les r'cherches reprennent à sept heures.

— J't'accompagne. J'peux pas rester icitte, tout seule, à m'faire du mauvais sang. J'mourrai d'inquiétude. J'attendrai avec madame Ozouff.

— J'avais pensé qu'tu pourrais passer la journée chez not' voisine, Madeleine. J'voulais d'mander à Joachin si y pouvait s'joindre à nous, c'matin.

— D'accord. Allons-y.

Et ils se mirent en route sans avoir pris le petit déjeuner.

CHAPITRE

avid et Joachin étaient arrivés au village près d'une demi-heure avant la reprise de la battue. Ils se rendirent auprès du marchand.

— Ne perdez pas courage, mon ami, dit ce dernier à David. On les retrouvera, vos enfants. Ce matin, ma femme s'occupera du magasin. Moi, je me joins à l'équipe de secours.

— Merci, monsieur Ozouff. Vous êtes très généreux. Votre compassion m'fait du bien.

— C'est bien le moins que je puisse offrir, monsieur Manuel. J'aimerais pouvoir en faire encore plus.

— Personne peut rien faire de plusse. C'est ent' les mains d'la Divine Providence, maintenant.

— Mais avez-vous pensé d'aviser le shérif du comté, à Chatham, de la disparition des enfants?

— Non, ça m'a pas v'nu à l'idée.

— Je crois que vous devriez. Peut-être pourrait-il faire quelque chose. Si vous m'y autorisez, je vais lui faire parvenir un télégramme dès ce matin.

— Ben, pourquoi pas? Ça peut pas nuire.

— Tenez. Je vous offre un café à tous les deux, en attendant.

oute la journée, la battue avait été menée par une trentaine de volontaires, entre le village et la demeure des Manuel, et même au-delà. La triste nouvelle s'était répandue vers Baie-Sainte-Anne, puis jusqu'à Manuel-Poste-Office, aussi appelé Petite-Rivière, et à la Grande-Rivière. Plusieurs hommes de ces régions étaient venus se joindre aux citoyens d'Escuminac pour prendre part aux recherches. Mais les efforts n'avaient révélé aucun indice de la présence des enfants. Profondément découragé, David n'eut d'autre choix que de retourner vers son épouse, à la nuit tombée.

Il accompagna Joachin jusque chez lui, où Vitaline et Madeleine les attendaient. L'arrivée des deux hommes sans les petits éteignit subitement la flamme d'espoir qui avait vacillé dans l'âme des épouses durant la journée, alimentée par de multiples prières répétées de nombreuses fois, et l'angoisse rétablit son règne de plus belle dans le cœur de la mère éprouvée.

Madeleine avait préparé un repas pour les quatre parents, mais l'appétit n'était pas au rendez-vous, et même David et Joachin, qui s'étaient démenés toute la journée à chercher sans répit, mangèrent avec frugalité.

— Nous r'prenons les r'cherches au matin, promit David. On était ben une trentaine aujourd'hui. Y r'viennent tous demain et pt'êt' d'aut' de plusse.

— Mais comment ça s'fait qu'vous les avez pas déjà trouvés? sanglota Vitaline. Yousse qu'y peuvent êt'?

— Un vrai mystère, répondit Joachin. Mais y faut pas désespérer. Des enfants, c'est résistant, ben plusse que des adultes. J'ai confiance que, d'main, le cauchemar sera fini.

— J'souhaite que l'Bon Dieu t'entende.

Un peu plus tard, quand les deux hommes se retrouvèrent seuls, Joachin dit à voix basse :

— Écoute, David. J'veux pas t'énerver pour rien, mais as-tu pensé à Romain ?

— Romain ? Grand Dieu ! Qu'est-ce que tu vas imaginer là ?

— Panique pas. J'avance juste une idée. J'arrive pas à expliquer qu'on les ait pas déjà trouvés, les enfants. On doit avoir ratissé tous les coins d'la forêt des deux côtés du ch'min, d'ici au village. C'est comme si y avaient disparu d'la surface d'la terre sans laisser d'traces. J'comprends pas. J'essaye seulement d'imaginer des réponses.

— Pour l'amour du ciel, parle pas d'ça devant Vitaline.

— Non, jamais d'la vie ! T'as pas besoin d'avoir peur. Mais j'ai cru qu'à nous deux, on pouvait y réfléchir.

— Crois-tu vraiment qu'y a une chance que Romain aurait affaire dans leur disparition ?

— Probablement pas. C'est juste une idée qui m'est v'nue. Avec sa réputation. Tout l'monde le connaît.

— Si y fallait!

— Écoute. Qu'est-ce que tu dirais que d'main matin, toi et moi, au lieu d'bat' la forêt, on s'rende chez lui, juste pour voir?

— On peut toujours pas aller l'accuser d'une chose pareille, sans preuve.

— On irait pas l'accuser, droite comme ça. Mais en parlant avec lui, comme si on passait toutes les maisons à la r'cherche de renseigne-ments, on pourrait voir comment y réagit. On pourrait en même temps garder l'œil ouvert pour des signes d'la présence des enfants autour d'sa propriété.

David hésitait. L'hypothèse de Joachin lui paraissait trop répugnante pour qu'il la prenne au sérieux. En même temps, lui non plus ne parvenait pas à s'expliquer que la forêt n'ait révélé aucune trace du passage des petits. Il fallait chercher d'autres avenues, examiner n'im-porte quelle idée, même la plus odieuse.

— Bon. D'accord, finit-il par dire. On ira. Au moins, c'est une aut' piste à explorer. Mais avant, y faudra qu'j'en parle à Antoine. Si on s'absente de l'équipe sans l'aviser, y pourrait croire qu'on manque à l'appel, nous aut' itou. J'lui d'manderai d'garder ça pour lui, jusqu'à nouvel ordre.

— Une bonne idée. De toute façon, si on apprend rien, on ira r'joindre le groupe avant la fin d'la matinée.

Le lendemain, un peu avant sept heures, la troupe des batteurs se retrouva de nouveau réunie devant la maison d'Antoine. Ils étaient encore plus nombreux que la veille. David amena Antoine à l'écart afin de lui parler seul à seul quelques instants, puis il vint rejoindre Joachin. Quand le groupe de chercheurs se fut engagé sur la route du Bois–Franc, les deux amis prirent une direction différente.

— Qu'est-ce qu'y a dit, Antoine?

— Y voulait nous accompagner chez Romain. J'y ai fait comprendre que sa présence était plusse importante à la tête de l'équipe.

— Y'a donc pas cru qu'y s'agissait d'une idée folle?

— Non. Y pense comme nous, qu'y faut négliger aucune piste, aussi mince qu'a peut êt'.

— C'est une chose d'êt' attiré par les enfants, mais, pour passer aux actes, y faut êt' malade.

— J'ai pas entendu dire qu'y avait r'commencé depuis la fois qu'y s'avait fait prendre et qu'les constables[4] l'avaient menacé d'prison.

— Moi non plus, mais on peut pas savoir tout ce qui s'passe. Des fois, les victimes préfèrent se taire.

— Si fallait qu'y ait fait du mal à mes p'tits, j'sais pas comment j'réagirais. J'ai peur de c'que j'pourrais y faire.

— J'peux imaginer c'que tu r'sens, David. Moi, mes enfants, y sont déjà grands et partis du foyer, mais j'ai toujours mon cœur de père. Sauf que tu dois garder ton calme. Si on découvre

---

4. Constable: de l'anglais « *constable* ». Agent de la police provinciale.

que nos soupçons sont fondés, y faudra laisser la loi s'en occuper.

— La loi. Avant qu'les constables viennent de Chatham et qu'y fassent de quoi, y peut s'écouler encore ben du temps. Et mes enfants...

David s'interrompit. Ses émotions lui nouaient la gorge.

Ils se trouvèrent bientôt en face de la maison de Romain, se demandant comment ils allaient aborder le but de leur visite.

— Tu s'rais p'têt' mieux de m'laisser parler, proposa Joachin. Ça sera plusse facile pour toi d'rester calme.

— OK. Mais j'te garantis pas qu'j'arriverai à rien dire.

— Occupe-toi plutôt de r'garder autour, pendant que, moi, je l'questionnerai, au cas où tu verrais d'quoi d'suspect.

Joachin frappa à la porte. Un silence les accueillit, qui perdura.

— Y'a pas l'air d'êt' là, commenta David.

Joachin cogna de nouveau. Quelques secondes plus tard, la porte s'entrebâilla.

— Salut, Romain, lui dit Joachin.

— A... Allô, répondit timidement Romain

Âgé d'une cinquantaine d'années, l'allure malpropre et négligée, le corps rond et ventru, Romain n'inspirait guère la sympathie à qui le voyait pour la première fois. Son sourire hésitant laissait entrevoir une dentition trouée et jaunie.

—Tu nous r'connais?

— Ou... Oui. Du Bois-Franc.

— C'est ça. Moi, je suis Joachin et, lui, c'est David. On aimerait t'parler.

— ...

— On peut entrer?

La question parut surprendre Romain. Il hésita, jeta un regard derrière lui, puis se décida à ouvrir la porte.

— Ben, OK. J'viens juste de me l'ver. C'est pas ben propre. Vous m'excuserez.

— T'en fais pas. On passera pas de r'marque et on s'ra pas longtemps.

— Prenez une chaise.

— Non, merci. On va rester d'boute.

Le regard des deux hommes parcourut rapidement les confins de la petite cuisine, où donnait accès la porte d'entrée qu'ils venaient de franchir. Romain avait dit vrai. Le désordre et la malpropreté y régnaient, mais les visiteurs ne détectèrent rien qui aurait pu révéler la présence des petits.

— T'es au courant qu'les enfants d'David ont disparu avant-hier? poursuivit Joachin.

Romain ouvrit la bouche, mais ne dit rien, se contentant de regarder David et Joachin à tour de rôle.

— On passe les maisons du village pour savoir si quelqu'un les aurait pas vus.

— …

— Toi, tu les aurais pas vus par hasard?

— Eh…, non, répondit Romain, en accompagnant sa réponse d'un mouvement de la tête que David perçut comme exagéré.

— Es-tu allé du côté du magasin général avant-hier? reprit Joachin.

— Ben… j'crois qu'oui. J'y va pas mal tous les jours.

— Vers quelle heure es-tu allé?

— Des fois, c'est l'matin. Des fois, l'après-midi.

— Avant-hier, c'était l'matin ou l'après-midi?

— Eh… J'me rappelle pas pour sûr, mais j'crois qu'c'était l'après-midi.

— Et ce jour-là, t'as pas vu deux garçons et une p'tite fille chez l'marchand ou en ch'min?

Romain ne répondit pas immédiatement, semblant réfléchir à la question. Joachin, impatient, songeait à le brusquer quand le suspect dit enfin:

— Oui. Y'm'semb' que j'ai rencontré des enfants en m'en r'venant, pas loin du magasin.

— Tu leur as parlé?

— Non. J'les connaissais pas.

— T'es sûr qu'y sont pas v'nus ici?

Les yeux de Romain s'agrandirent et sa bouche s'activa à formuler des mots qu'il n'articula pas.

— Pourquoi qu'tu réponds pas? insista Joachin.

— Mais, pourquoi y s'raient v'nus ici?

— Nous donnes-tu la permission d'fouiller ta maison? lança soudain David.

Romain, hébété, resta quelques instants à regarder le père des enfants, comme s'il ne comprenait pas le sens de la question. Puis, tout à coup, sa figure se rembrunit et il répondit d'une voix où pointait la colère:

— Fouiller ma maison? Vous croyez qu'c'est moi qu'a pris les enfants? Parsonne fouillera ma maison. Sortez d'ici tout' suite!

— Si tu nous laisses pas r'garder, on va envoyer les constables, insista David.

— Envoyez-les si vous voulez. Sortez! renchérit Romain, en tenant la porte ouverte d'une main que l'indignation, réelle ou feinte, faisait trembler.

Ils n'eurent d'autre choix que d'obtempérer. Une fois dehors, Joachin demanda :

— T'as rien vu d'anormal?

— Non. Mais ça, ça veut rien dire.

— Crois-tu qu'y cache de quoi, toi?

— J'sais pas. Y m'a eu l'air louche. Allons chez monsieur Ozouff. P't'êt' qu'y pourra nous en apprendre plusse sur lui.

CHAPITRE 10

*J*oseph Ozouff ne s'était pas joint à l'équipe de recherche ce matin-là. Le nombre de volontaires s'étant accru considérablement, il en avait profité pour rester mettre de l'ordre dans son entrepôt, qui était attenant au magasin. Quand il vit entrer David et Joachin, il ouvrit grand les yeux et s'exclama :

— Monsieur Manuel ! Vous avez reçu mon message ?

— Vot' message ? Non.

— Mais alors, comment se fait-il que vous soyez là et non avec l'équipe de recherche ?

— Nous suivons une aut' piste, Joachin et moi.

— Ah, oui? Laquelle?

— Vous connaissez Romain?

— Romain? Bien sûr.

— Vous souvenez-vous d'l'avoir vu dans les parages avant-hier, quand les enfants sont v'nus ici?

— Mais, êtes-vous en train de suggérer qu'il pourrait avoir affaire dans la disparition des enfants?

— Vous connaissez ses antécédents, intervint Joachin. On sait jamais.

— C'est vrai qu'il a eu des démêlés avec la loi dans le passé. Mais cette piste n'est pas la bonne, je vous l'assure.

— Comment pouvez-vous en êt' certain? répliqua David, surpris.

— J'ai reçu un télégramme ce matin. J'ai envoyé quelqu'un à votre recherche, monsieur Manuel, il y a près d'une heure, pour vous porter le message de venir me voir, que c'était urgent. Vu qu'il tardait à revenir, je me suis dit que vous étiez déjà à battre la forêt et qu'il tentait de vous y retrouver. Mais je comprends tout maintenant. Assoyez–vous, tous les deux. J'ai une nouvelle absolument étonnante à vous apprendre.

PARTIE

CHAPITRE

Émilie était douée d'un esprit particu-
lièrement éveillé pour son âge. Depuis
deux ans, elle fréquentait la petite école
du village avec ses deux frères. Curieuse, voulant
tout savoir, elle questionnait constamment et
passait des heures à regarder les livres d'images
qu'elle amenait à la maison.

Il y a environ un an, elle s'était découvert
un pouvoir de concentration hors du commun,
dont l'effet l'avait laissée ébahie. Un samedi
après-midi, alors qu'elle était occupée à faire
ses leçons, son crayon d'ardoise avait roulé sur
la table et était tombé par terre sans qu'elle eût
pu le rattraper, malgré une tentative digne d'une
acrobate.

— Ahhh! s'était-elle exclamée, avec un brin d'impatience.

Elle l'avait fixé de son regard perçant, là où il reposait sur le plancher et, en y concentrant toutes ses énergies, quoique sans effort conscient de volonté, elle avait murmuré entre ses dents serrées :

— Toi, r'viens ici, tout d'suite !

À sa grande stupéfaction, le crayon lui avait obéi. Enfin, presque. Il s'était soulevé lentement et avait progressé vers la table aussi longtemps qu'elle avait maintenu sa concentration. Mais son ahurissement, devant l'étrange phénomène, interrompit les liens énergétiques entre son cerveau et le crayon et celui-ci retomba. À maintes reprises, elle avait tenté de répéter l'exploit durant les minutes qui avaient suivi, mais en vain. Elle avait fini par conclure que son imagination lui avait tout simplement joué un tour.

Deux semaines plus tard, cependant, alors qu'elle avait déjà oublié l'incident, une deuxième expérience semblable vint de nouveau la surprendre. Paul, fidèle à ses habitudes, était sorti en trombe de la maison, laissant la porte ouverte. Elle lui cria aussitôt :

— Paul ! Ferme la porte ! Tu laisses entrer les mouches !

Si Paul l'entendit, il n'en fit rien. Agacée par l'inconscience de son frère, elle fixa la porte avec l'intensité extraordinaire dont elle était capable et, dans le même état d'esprit qu'elle avait commandé au crayon de reprendre sa place sur la table, elle ordonna à la porte de se fermer. Ce qu'elle fit, avec fracas.

La surprise d'Émilie ne fut pas moindre que la fois précédente. Sous l'effet du choc, elle était restée figée durant deux bonnes minutes, le regard braqué sur la porte fermée, stupéfiée devant l'étonnant phénomène. L'idée ne lui vint pas, à ce moment-là, de chercher à exercer son étrange pouvoir sur d'autres objets. Mais au cours des semaines qui avaient suivi, quand le souvenir de ces deux aventures lui revenait, elle avait tenté des expériences, qui, cependant, étaient demeurées vaines.

Un jour qu'elle cueillait des marguerites près du jardin pour en faire un bouquet-surprise à sa maman, elle avait aperçu son chat, aplati dans l'herbe, guettant un oiseau. Tout à coup, à son immense consternation, elle vit le félin s'élancer sur proie. Elle qui adorait ces petites créatures ailées! Elle devait à tout prix empêcher son chat de faire du mal à l'une d'elles. L'animal s'était instantanément immobilisé, à mi-chemin de son vol plané. La mésange avait pu s'enfuir et le chat, affolé par l'étrange phénomène dont il était l'objet, en avait oublié la raison de son acrobatie et avait filé à toute vitesse se cacher sous le perron, aussitôt que ses pattes eurent repris contact avec le sol, au grand amusement d'Émilie, qui se tordit de rire.

Et elle avait connu d'autres succès encore, mais, chaque fois, sans l'avoir planifié. La spontanéité semblait y jouer un rôle déclencheur. Malgré le ravissement que lui procurait ce pouvoir nouvellement découvert, Émilie n'en avait soufflé mot à personne, sentant qu'il valait mieux garder pour elle ce singulier secret.

Pour se rendre au village, les enfants devaient marcher un kilomètre et demi vers l'est afin de joindre le chemin qui reliait Escuminac à Pointe-Sapin, puis bifurquer vers le nord et poursuivre, sur une route bordée par la forêt des deux côtés, jusqu'à la voie principale. Le magasin général se trouvait à faible distance, sur la droite.

Les trois enfants se dirigèrent immédiatement chez le marchand.

— Bonjour, les enfants, les salua Joseph Ozouff.

— Bonjour, monsieur Ozouff, lui répondirent-ils tous les trois en chœur.

— Est-ce que je peux vous aider?

Robert tendit la liste que lui avait remise sa maman, ainsi que l'argent destiné à acquitter la facture. Pendant que le marchand s'affairait à rassembler les articles énumérés, les trois petits s'adonnèrent à l'exploration des rayons, s'attardant devant l'étalage de friandises et celui des jouets. Joseph Ozouff, toujours compréhensif, ne se pressa pas. Il voulait donner aux enfants le temps d'emmagasiner dans leur coffret de souvenirs tant de merveilles. Après avoir réuni les articles qu'il fallait, il s'amusa quelques instants à observer les enfants, puis il appela Robert pour lui remettre le panier de provisions et la monnaie restante. Du même coup, il offrit à chacun un bâton de réglisse.

— Oh! Merci beaucoup, monsieur Ozouff, répétèrent-ils chacun à leur tour.

— Ça me fait plaisir. Vous direz le bonjour à vos parents de ma part.

— Oui, c'est promis, répondit Robert.

Et ils sortirent du magasin en riant et en jasant de leurs stimulantes découvertes. Durant les prochaines semaines, Émilie rêverait à la petite princesse en porcelaine rose et bleue qu'elle avait vue à l'étalage, tournant sur elle-même au son d'une mélodie charmante qu'elle entendait pour la première fois. Paul avait été impressionné par un camion à feu, qui, suppo-sément, pompait de l'eau «pour vrai». Quant à Robert, son cœur était resté accroché à une bicyclette rouge, sur laquelle il se promènerait, dans son imaginaire, le reste de l'été.

Quelques minutes plus tard, alors qu'ils venaient à peine de quitter les abords du village pour s'engager sur la route vers Pointe-Sapin, ils aperçurent, immobilisé sur le bord du chemin, un cheval attelé à une charrette. Quand ils arri-vèrent à la hauteur de l'attelage, un homme à la barbe grisonnante en descendit.

— Bonjour, les enfants.

— Bonjour, répondit Robert, intimidé par l'accent de l'étranger.

— Où est-ce que vous allez comme ça?

— On s'en r'tourne chez nous.

— Voulez-vous monter avec moi? Je m'en vais justement par là, ajouta-t-il en pointant dans la direction où se dirigeaient les enfants.

— Non. Nos parents voudraient pas, affirma Robert avec un peu plus d'aplomb, les deux autres se contentant d'observer l'inconnu en silence.

— Vos parents sont sages. Il vaut mieux être prudent avec les étrangers. Tenez, prenez quand même un bonbon, leur proposa-t-il en leur offrant des nougats.

Après un moment d'hésitation, Robert s'avança et en prit un dans le sac en papier que lui tendait l'homme. Paul et Émilie l'imitèrent aussitôt. L'individu leur sourit et remit le sac dans sa poche.

Il s'apprêtait à remonter dans sa charrette lorsqu'il se retourna soudainement, comme si une idée subite venait de naître à son esprit.

— Mais j'y pense. Peut-être seriez-vous intéressés à offrir une belle surprise à votre maman. Moi, je suis un vendeur itinérant d'ustensiles. J'ai passé toutes les maisons du village, mais il m'en reste encore pas mal. Si vous avez un peu d'argent, vous pourriez en acheter et en faire cadeau à votre maman. Ce sont de superbes ustensiles et je ne vous les vendrai pas cher. Votre mère en serait ravie.

— Y nous reste yinque que'ques cennes, répliqua Robert.

— Je suis sûr que ça sera suffisant. Viens les voir et tu pourras décider si tu veux en acheter ou non.

Il s'adressait surtout à Robert, sentant que, des trois, c'était sûrement lui qui prenait les décisions.

— Viens, ils sont juste ici.

Et l'homme monta dans la voiture, qui n'était rien de plus qu'une patache rafistolée pour parer aux éléments. Les enfants avancèrent jusqu'à l'arrière et s'arrêtèrent devant la porte ouverte. Accroupi à l'avant, l'étranger prit dans ses mains des cuillers et des fourchettes, qui projetaient des reflets étincelants, même dans la pénombre, tellement leur éclat était magnifique, et il les montra aux enfants.

— Vous voyez? Et j'en ai encore de plus beaux. Venez voir.

Robert se décida enfin à monter dans la charrette. Paul et Émilie le suivirent. Ils furent tous les trois fascinés par la variété et le scintillement des ustensiles dans le coffret ouvert.

— Y sont très beaux. Mais j'ai pas assez d'argent pour en acheter, conclut Robert.

— Montre-moi donc ce que tu as.

Robert lui fit voir les quelques sous que le marchand lui avait remis.

— Ah, mais tu en as pas mal. Avec ça, tu peux choisir six pièces, celles que tu veux.

— Vraiment?

— Oui. Prends ton temps. Regarde-les bien avant de décider.

C'était un prix ridiculement bas pour des ustensiles de cette qualité. Robert s'en doutait, mais l'idée d'offrir un si beau cadeau à sa mère l'excitait au point qu'il n'avait pas envie d'y réfléchir. Il songeait à sa tirelire, à la maison, qui renfermait sûrement autant de sous que lui en coûteraient les ustensiles. Il pourrait ainsi rembourser l'argent de sa mère qu'il s'apprêtait à utiliser.

Pendant que les enfants étaient en admiration devant les outils de cuisine, l'étranger se glissa vers l'arrière du chariot, jeta un coup d'œil à l'extérieur pour s'assurer qu'il n'y avait

personne dans les environs, ferma précipitam-
ment la porte et la verrouilla.

Les enfants se rendirent compte aussitôt que
quelque chose n'allait pas. La pénombre s'était
subitement obscurcie. Ils ne voyaient presque
plus rien à l'intérieur.

— Qu'est-ce que vous faites? demanda Robert,
visiblement alarmé.

— Restez tranquilles. Je ne vous veux aucun
mal.

— Laissez-nous sortir, cria Robert en se
lançant vers la porte du chariot.

L'homme empoigna l'enfant et le retint contre
lui. Paul et Émilie commencèrent aussitôt à
geindre.

— Si vous restez tranquilles, je ne vous ferai
aucun mal, répéta l'étranger. Sinon, je serai obligé
de vous battre. Si vous criez, je vous bats; si vous
essayez de vous enfuir, je vous bats. Mais si vous
restez sages, vous aurez de belles récompenses.
Je ne vous garderai pas longtemps. J'ai besoin
de vous pour accomplir une besogne. Après, je
vous reconduirai chez vous.

— Non! Je ne veux pas! Laissez-nous sortir, clama Robert, luttant pour se libérer de l'emprise de l'étranger.

— Pas question. Pas avant que j'aie accompli la tâche que j'ai à effectuer. Il est inutile d'insister.

— Qu'est-ce que vous allez faire de nous? questionna Robert d'une voix tremblante d'indignation.

— Je vous le dirai tout à l'heure. Pour le moment, je dois vous attacher pour que vous ne cherchiez pas à vous enfuir.

L'étranger avait tout prévu. La corde et les bâillons se trouvaient à portée de la main. Il lia Robert le premier, craignant qu'il s'avère le moins coopérant; mais celui-ci ne résista pas davantage, cherchant sans doute à éviter, ainsi, que Paul et Émilie soient malmenés, comme l'avait promis le méchant homme. Puis ce fut le tour des deux autres, qui ne cessaient pas de sangloter. Comme mesure supplémentaire, le ravisseur les bâillonna pour les empêcher de crier, diminuant ainsi le risque d'éveiller la curiosité de passants éventuels.

— Bon. Assoyez-vous là et ne bougez pas, ordonna l'étranger, après avoir ligoté et réduit au silence ses victimes. Dans quelques minutes, je pourrai vous libérer.

Puis il sortit du chariot et verrouilla la porte de l'extérieur. Il prit soin d'emporter avec lui le coffret d'ustensiles, ne voulant pas courir le risque que les enfants y aient recours et arrivent à se débarrasser de leurs liens. Puis il monta sur la banquette et mit aussitôt l'attelage en marche, tout en feignant d'ignorer les pleurs étouffés qui lui parvenaient d'en arrière de la mince cloison.

La charrette fit demi-tour, rejoignit la route principale et tourna vers l'ouest. Elle traversa le village, ne croisant que deux ou trois individus, qui ne lui prêtèrent aucune attention. Puis, une heure plus tard, ayant franchi le pont de la Grande-Rivière, elle emprunta un sentier sur la droite, qui menait dans la forêt. Le ravisseur attendrait là, à l'abri des regards, la tombée du jour. Il serait plus prudent de voyager sous le couvert de la nuit.

Il libéra les enfants de leur bâillon, ne crai-gnant désormais plus que quiconque puisse les entendre, s'ils s'avisaient de crier, malgré ses menaces. Robert voulut savoir quand il allait les libérer. L'homme lui dit tout simplement de rester tranquille, qu'ils se remettraient en route avant longtemps. Le garçon eut alors la certitude que l'étranger n'avait pas l'intention de les ramener chez eux, tel que promis.

Quel sort leur réservait-il? Il n'osait pas y penser. Tout son être était transi de frayeur, mais il était résolu à ne pas le laisser paraître, de peur d'affoler davantage Paul et Émilie. Il se sentait profondément coupable d'avoir entraîné son frère et sa sœur dans cette mésaventure. Il avait manqué de prudence en acceptant l'invitation de l'étranger. Il n'osait même pas penser à la réaction de leurs parents au moment où ils ont dû constater leur disparition. À cette heure, ils devaient être au désespoir. Ils lui en voulaient sûrement de n'avoir pas su protéger les deux plus jeunes, dont il avait la garde. L'idée était trop pénible à entretenir. Il lui fallait à tout prix garder son sang-froid et guetter une opportunité de s'évader.

'aube retrouva le triste cortège à des dizaines de kilomètres à l'ouest, en direction de Chatham. L'homme gara son attelage à l'arrière d'une masure abandonnée, autour de laquelle la végétation avait rétabli ses droits primaires. Cinq minutes plus tard, les trois enfants se réveillaient sous les cris insistants de l'étranger à la barbe grise.

— Levez-vous, petits chenapans! Que je vous laisserais faire et vous dormiriez toute la journée. Allez! Venez manger.

Le réveil fut brutal. Ils mirent du temps à se rappeler où ils étaient; puis le souvenir des événements traumatisants de la veille refit surface: d'abord, la rencontre du vendeur d'ustensiles sur le chemin du retour à la maison, les friandises et l'alléchante perspective d'obtenir une superbe coutellerie pour leur mère à si peu de frais ; puis, la prise de conscience qu'ils étaient tout à coup prisonniers de ce méchant homme et l'indicible sentiment de panique dont ils furent alors assaillis, le long voyage au noir à se faire ballotter dans les rudes confins du chariot. Ils avaient fini par s'endormir tous les trois, au petit matin, l'épuisement ayant finalement eu le dessus sur leur angoisse.

Aussitôt levés, Paul et Émilie recommencèrent à sangloter, s'efforçant néanmoins de ne pas faire de bruit, craignant les réprimandes de l'étranger. Robert, plus âgé, affichait un semblant de calme. Il faisait de son mieux pour donner courage à son frère et à sa sœur. La porte du chariot ayant été déverrouillée, ils purent sortir et se rendre près du feu, où le ravisseur avait préparé pour eux un petit déjeuner. Ils se déplaçaient lentement, leurs mouvements étant entravés par la corde qui les reliait toujours l'un à l'autre.

— Dépêchez-vous. Venez manger.

C'était la première fois qu'on leur offrait de la nourriture depuis leur enlèvement.

— Où est-ce qu'on va? osa demander Robert.

Le ravisseur fit mine de ne pas l'avoir entendu. Les enfants mangèrent peu, l'angoisse leur ayant enlevé tout appétit. Une fois le déjeuner terminé, le kidnappeur les enferma dans une chambre de la vieille maison, après les avoir libérés de leurs liens. Il y faisait plutôt sombre, l'unique fenêtre étant partiellement obstruée de l'extérieur par des planches qu'on y avait clouées.

— Nous passerons la journée ici, leur dit l'homme en s'éloignant. Ce soir, nous nous rendrons en ville. Restez sages et, demain, vous recevrez une belle récompense.

— Vous aviez promis de nous libérer, intervint Robert.

— Bien sûr, mais pas tout de suite. J'ai encore des choses à faire avant.

Robert n'en croyait rien. Il avait rappelé à l'étranger sa promesse dans l'espoir que sa réponse révélerait ses intentions. Mais il n'était pas beaucoup plus avancé. «Il a dit que nous nous rendrons en ville», pensa Robert. «C'est Chatham, la ville la plus proche de chez nous. Ça doit êt' là qu'y nous emmène. Mais pourquoi?»

Durant la journée, les trois infortunés échangèrent sur leur situation, chacun faisant part de ses craintes quant au sort qui leur était réservé. Ils ne pouvaient pas savoir qu'ils avaient affaire à un trafiquant d'enfants.

De son côté, Émilie parlait peu, mais elle réfléchissait. Depuis le matin, elle commençait à reprendre courage. Elle se disait qu'il se présenterait sûrement une occasion de s'échapper et qu'ils en profiteraient. Par ailleurs, elle vouait une grande confiance à Robert, qu'elle considérait déjà comme un homme.

À deux ou trois reprises durant le jour, l'étranger apporta aux enfants de l'eau et de quoi manger. À ces occasions, chacun avait droit, quand le besoin s'en faisait sentir, de s'offrir une courte visite dans les broussailles. Le ravisseur ne craignait pas vraiment qu'ils cherchent à s'évader au cours de ces brèves incursions. Mais il ne courait pas le risque. À chacun il disait :

— Une minute seulement ! Si tu ne reviens pas dans une minute, vous serez battus, tous les trois, et vous n'aurez ni eau ni nourriture durant le reste du voyage.

Mise en garde futile dans le cas de Paul et d'Émilie. Ils avaient trop peur de se perdre et d'être abandonnés seuls en forêt, si loin de chez eux, pour songer à s'enfuir. Robert, cependant, avait entretenu l'idée. Il ne doutait pas qu'il arriverait à retracer son chemin s'il parvenait à s'échapper. Mais les menaces du ravisseur l'avaient dissuadé, jusque-là, de tenter sa chance. De plus, il ne pouvait pas se résoudre à abandonner son frère et sa sœur. L'idée de les laisser seuls, entre les mains de cet abominable personnage, atténuait sa détermination de s'évader à la première occasion. Il se sentait responsable d'eux. En fait, il se sentait coupable de les avoir entraînés dans ce piège.

Durant la soirée et la nuit précédentes, Émilie avait voulu utiliser son pouvoir mental exceptionnel pour tenter de s'évader du chariot avec ses deux frères. Son intention était de forcer le cadenas qui gardait la porte de la voiture fermée à s'ouvrir de lui-même, de façon à libérer l'arceau, ce qui leur donnerait la voie libre pour s'enfuir sous le couvert de l'obscurité. Ils resteraient cachés dans le bois jusqu'au matin et reprendraient alors la route du retour. Mais malgré toute la bonne volonté qu'elle y mit, ses efforts étaient demeurés vains. Les maintes fois où elle avait tenté d'ouvrir la porte pour vérifier si elle avait réussi s'étaient soldées en déconvenue. Elle avait essuyé les mêmes frustrations dans ses tentatives de dénouer la corde qui la reliait à ses frères, quoique cela ne les eût pas avancés à grand-chose, l'unique issue étant cadenassée de l'extérieur.

Elle avait déjà connu des échecs auparavant dans ses tentatives d'exercer son pouvoir secret. Il semblait bien que, si elle planifiait d'utiliser cette habileté extraordinaire, ça ne fonctionnait tout simplement pas. Apparemment, l'anticipation venait anéantir les effets de ses ondes énergétiques cérébrales, son étrange talent ne se manifestant que dans des circonstances d'événements soudains, où elle n'avait pas le temps de réfléchir véritablement à ce qu'elle voulait accomplir. Mais de cela, Émilie elle-même n'en était pas encore consciente, d'où sa si grande déception après chaque tentative.

CHAPITRE

L a fin du jour les trouva légèrement moins troublés. Durant le repas qu'ils consommaient à l'extérieur en prévision du départ, le ravisseur ne les brusqua pas. En savourant son café, il donnait l'impression d'être perdu dans ses pensées.

Robert l'observait du coin de l'œil. Il guettait sa chance. Il en était arrivé à deux conclusions : il y avait urgence d'alerter les autorités avant qu'il ne soit trop tard ; et il n'y avait que lui qui pouvait le faire. Il fallait à tout prix qu'il s'évade, ce soir même, avant d'être renfermé dans le chariot, avant de repartir vers la ville. Il n'en parlerait pas à Paul et à Émilie de peur que quelque chose dans leur comportement éveille la méfiance de l'étranger. Il voulait éviter, aussi, de créer chez eux de faux espoirs, au cas où son projet ne réussirait pas. Il aurait préféré les emmener avec lui, mais il savait qu'à trois, liés les uns aux autres comme ils l'étaient, ils n'échapperaient pas longtemps à la vigilance du ravisseur.

Il avait arrêté son plan. Il signifierait prochainement à l'homme qu'il devait se rendre dans les broussailles, ce qui n'était pas faux, d'ailleurs. Une fois là, il utiliserait sa minute pour s'éloigner du campement à toute vitesse. Il partirait vers l'est pour faire croire au kidnappeur qu'il cherchait à retourner chez lui. Mais il n'abandonnerait pas Paul et Émilie. Il suivrait le chariot à distance pour connaître sa destination. Ils ne devaient plus être trop éloignés de la ville maintenant. Chemin faisant, il guetterait toute occasion qui se présenterait pour libérer son frère et sa sœur. Il ne voulait pas penser aux menaces du ravisseur. Peut-être ne les mettrait-il pas à exécution. De toute façon, il valait sans doute mieux être battus et privés de nourriture, si cela pouvait mener à leur libération des mains du méchant homme.

Quand il vit que l'étranger s'était levé et commençait à ranger ses effets, Robert l'interpella :

— Monsieur, y faut que j'aille dans les broussailles.

— Bon, d'accord. Je te détache. Mais n'oublie pas : une minute seulement. Sinon, tu connais les conséquences.

Et Robert s'éloigna à pas mesurés, masquant son empressement, ne voulant surtout pas éveiller les soupçons du ravisseur. Il se sentait très nerveux ; il craignait qu'un regard le moindrement vigilant eût permis à celui-ci de déceler ses intentions.

Quand il fut certain qu'on ne pouvait plus le voir, il s'élança dans la forêt, attentif à produire le moins de bruit possible, obliquant vers la route qu'il souhaitait découvrir à proximité. Il avait pu examiner attentivement les environs de l'ancienne habitation. Il avait observé la direction que prenait le petit sentier qui y menait et qui devait, immanquablement, rejoindre le chemin par où ils étaient arrivés ce matin même. Il comptait se dissimuler tout près et attendre que l'attelage se montre, comme il le devait pour se rendre en ville.

Il s'écoula bien deux minutes avant que l'homme ne se rende compte que Robert n'était pas revenu. Il se tourna de ce côté et cria :

— Eh! Toi, là-bas, ton temps est écoulé. Sors de là immédiatement.

Il patienta quelques secondes et, voyant que le garçon ne donnait aucun signe, il s'approcha de l'orée du bois et hurla à nouveau : «Tu te fous de ma gueule ou quoi? Sors de là tout de suite!»

Ne recevant aucune réponse, il se précipita dans le bosquet où avait disparu Robert, mais en ressortit aussitôt en rageant. Il se dirigea à pas de course vers le chariot, y saisit un pistolet et s'élança sur le sentier qui menait vers la route.

Paul et Émilie avaient assisté à cette scène dans la plus grande perplexité. Ils ne soupçonnaient pas que Robert s'était évadé et ils ne comprenaient pas pourquoi il refusait de sortir du bois. Aussi, à la vue de l'homme brandissant son arme, ils conclurent, tous deux, que Robert était en danger.

Paul figea sur place, mais Émilie réagit instinctivement.

— Non! s'écria-t-elle.

Spontanément et sans s'en rendre compte, elle concentra toute son attention sur les pieds de l'étranger, qui parurent se croiser, et il piqua du nez contre la chaussée.

Il resta étendu là un certain temps, sans bouger. Paul s'apprêtait à entraîner Émilie vers la forêt dans une tentative de rejoindre Robert, quand l'homme se releva. Constatant qu'il saignait, il revint vers le chariot en maugréant.

Émilie était la seule à savoir qu'elle était responsable de la mésaventure du ravisseur et qu'elle avait probablement sauvé la vie de Robert. Ni Paul, ni l'accidenté n'eurent de raisons de soupçonner quoi que ce soit.

Fou de rage, l'homme avait d'abord menacé de mettre sa promesse à exécution et de battre ses captifs, mais il s'était ravisé. Valait mieux ne pas endommager la marchandise, s'il voulait en retirer le maximum de profit. L'acheteur pourrait s'aviser de revoir à la baisse son prix habituel, s'il s'apercevait que les enfants avaient subi des sévices. Quant à la nourriture, il verrait bien à la restreindre au minimum.

Quinze minutes plus tard, le triste équipage reprenait la route, emportant toujours plus loin les deux infortunés, à qui on avait pris soin de replacer le bâillon.

CHAPITRE 5

Robert n'eut pas de difficulté à découvrir le chemin et il n'attendit pas longtemps l'arrivée de la charrette. Malgré qu'il fasse déjà sombre, il arriva facilement à la suivre à distance. Nul besoin de la garder constamment à l'œil ; le bruit qu'elle générait sur la route cahoteuse lui servait efficacement de point de repère. En plus, la monture étique qui tirait le chariot aurait été incapable d'accélérer la cadence, même au péril de sa vie.

Pendant ce temps, Paul et Émilie tentaient de s'habituer à l'idée que Robert n'était plus là. Paul, lui, en était venu à se douter que leur frère s'était enfui afin d'aller quérir de l'aide. Émilie préférait nourrir l'espoir qu'il suivait la voiture de loin, guettant l'opportunité de les libérer. Tous deux se sentaient encouragés, malgré l'absence de Robert, persuadés que celui-ci trouverait bientôt moyen de les secourir.

Vers vingt-deux heures, le ravisseur et ses prisonniers entrèrent dans la ville portuaire de Chatham. Robert, qui les suivait toujours à distance, en fut sûr dès les abords. Il y était venu deux fois avec ses parents au cours de la dernière année et, à la lueur des lampadaires, il reconnut des noms de rues ainsi que la devanture de certains commerces. L'attelage finit par s'arrêter dans la cour arrière d'une auberge. Robert se dissimula derrière un arbuste, d'où il pourrait observer sans être vu.

L'homme entra par la porte de service, comme s'il y fut un habitué. Robert attendit un peu pour voir s'il ne revenait pas, puis, rassuré, il s'avança prudemment jusqu'à la voiture. Il examina le cadenas, toujours bien en place, et conclut qu'il n'arriverait pas à l'ouvrir. Il lui vint à l'esprit de tenter d'enfoncer la porte, mais elle semblait passablement solide, et le bruit pour ce faire ne manquerait pas de parvenir jusqu'aux oreilles du kidnappeur. Il décida plutôt d'attirer l'attention de Paul et d'Émilie en frappant de légers coups sur la paroi du chariot tout en appelant doucement :

— Émilie, Paul.

Il entendit aussitôt leur plainte étouffée, et il comprit qu'ils étaient bâillonnés et qu'ils ne pourraient pas lui parler.

— C'est moi, Robert. Écoutez, poursuivit-il à voix basse, on est à Chatham. J'peux pas vous libérer maintenant, mais j'vais aller chercher d'l'aide. Gardez courage ; j'vous abandonne pas.

Il perçut de nouveau leur grognement assourdi, dans lequel il décela comme une note de soulagement. Lui-même se sentit ragaillardi par cette brève communication avec eux et par la certitude d'avoir fait naître un rayon d'espoir dans leur frayeur. Puis, à pas feutré, il regagna sa cachette.

Au bout de deux ou trois minutes, le ravisseur revint, fit descendre les enfants et les conduisit à l'intérieur. Robert attendit encore, sans bouger, voulant s'assurer qu'il ne s'agissait pas uniquement d'une courte halte avant que le kidnappeur poursuive sa route vers une autre destination. Quand il vit ce dernier ressortir sans Paul et

Émilie, puis donner à boire et à manger à son cheval avant de rentrer dans l'auberge, il eut enfin la certitude que le trio allait bel et bien y passer la nuit. Après avoir noté le nom de la rue, il s'éloigna. Il était passablement fatigué d'avoir autant marché, mais l'urgence de secourir son frère et sa sœur lui conférait un regain d'énergie. Il lui fallait maintenant trouver le poste de police.

Un édifice imposant sur la rue *Water*, une des voies principales de Chatham, abritait le bureau de poste, les Services d'immigration, la Cour du Banc de la Reine, le Greffe et le poste de police. Robert se souvenait d'y avoir accompagné son père, l'été précédent, lorsque celui-ci était venu confirmer ses titres de propriété auprès du greffier et payer ses impôts fonciers. Mais dans quelle direction était située la rue *Water* à partir de l'auberge? Dans la noirceur, il se sentait désorienté. Le secteur de la ville où il se trouvait était mal éclairé, mais il pouvait distinguer au loin une lueur qui témoignait d'une grande abondance de lumières.

Il s'y dirigea, comme par instinct. Il était logique que les voies les plus importantes soient également les mieux illuminées. De plus, le terrain semblait aller en pente descendante vers cette zone prometteuse et la rue *Water* longeait la rivière Miramichi. Cette constatation donna à Robert un élan de courage. Il avait l'espoir de réussir.

Au bout de quelque temps, il déboucha sur une voie assez large où trônaient quelques gros édifices. Il crut être arrivé. Mais un coup d'œil sur le lampadaire lui révéla qu'il s'était trompé. On pouvait y lire «*Wellington Street*». «J'suis pas encore rendu», se dit-il. «Mais la rue *Water* peut pas êt' ben loin astheure.» La fatigue se faisait de plus en plus sentir et le pressait à avancer. D'autres lampadaires, à proximité, projetaient leurs rayons aux reflets jaunâtres, l'invitant à continuer. À cette heure tardive, Robert ne croisa personne.

Soudain, une seconde voie large s'ouvrit devant lui, bordée de bâtisses à façades hautes et colorées, où le nom «*Water Street*» était bien visible à la croisée des rues. Son cœur fit un bond. «Enfin», se dit-il. «J'ai réussi.» De là, il se dirigea d'un pas assuré à la recherche de l'im-

meuble qu'il avait confiance de pouvoir recon‐
naître. Il le trouva facilement.

L'entrée principale de l'édifice donnait sur
un large vestibule, où trônait le pupitre d'un
gardien de sécurité. Quand celui‐ci vit entrer un
jeune garçon à cette heure plus qu'inhabituelle,
il ne cacha pas sa surprise.

— *Well, now. What are you doing here at this
hour?*

Robert savait déjà se débrouiller dans la
langue de Shakespeare — comme tous les gens
de la Baie et d'Escuminac, qui avaient conti‐
nuellement à transiger avec les Anglais. Devenus
majoritaires dans la plupart des régions du comté
de Northumberland, ces derniers y dirigeaient
de nombreux commerces. De plus, la «*Common
School Act*» de 1871, qui avait conféré aux écoles
de la province le statut «d'écoles publiques»,
abolissant leur couleur confessionnelle, avait
maintenu l'exigence que tout enseignement s'y
déroule en anglais. Tous les petits francophones
apprenaient donc l'anglais systématiquement.

Robert répondit au gardien :

— *I want to talk to the police.*

— *You don't say. Now, what would a kid like you have to do with the police? Are you lost?*

La première réponse qui lui vint à l'esprit fut : *« I am not a kid. »* Mais il répliqua tout simplement :

— *No.*

— *Well, what is it then?*

Robert ne s'en laissa pas imposer.

— *I want to talk to the police, now.*

— *Okay. Come with me.*

Ils suivirent le corridor jusqu'à ce qu'ils arrivent devant deux grandes portes vitrées où on pouvait lire : *« Police Station »*. Le gardien entra avec Robert et dit à l'un des deux agents présents :

— *Look what we have here. He insists on talking to you.*

L'agent regarda Robert en affichant un intérêt attentionné.

Puis, se tournant vers le gardien, il répondit :

— *Thank you, Bob. I'll take it from here.*

Bob hésita brièvement. Il était évident qu'il aurait aimé rester, afin de satisfaire sa curiosité. Ne recevant pas d'encouragement en ce sens, il retourna à son poste. Une fois qu'il fut reparti, l'agent s'adressa à Robert :

— *Hi. My name is Mike. What's yours?*

— Robert.

— *Nice to meet you, Robert. What can I do for you?*

— *I need your help. You have to come with me. A man has taken my brother and my sister.*

— *Whoa. Are you telling me that your brother and your sister have been kidnapped?*

— *Yes.*

— *And do you know where they are?*

— *Yes. It's not far. I can show you.*

L'agent examina Robert. Il ne savait trop s'il devait le croire. L'enfant qui se tenait devant lui ne paraissait pourtant pas être mentalement perturbé, comme quelqu'un qui aurait pu raconter des histoires imaginaires. Il l'invita à s'asseoir pendant qu'il se rendait dans le bureau voisin, où il s'affaira un bon moment auprès de l'appareil téléphonique, avant d'aller parler au second agent. Aussitôt, celui-ci se leva, enfila sa veste et se dirigea vers la sortie. Mike revint vers Robert.

— *I have sent agent McNeil over to detective Johnson's house. He will want to talk to you. He should be here in a few minutes. In the meantime, you must be hungry. I have some sandwiches here. Would you like one?*

— *Yes. Thank you.*

L'agent Mike n'était pas encore certain dans quelle mesure il accordait foi aux propos du jeune garçon, mais, ne voulant pas prendre de chance, il avait suivi les procédures prévues pour des situations semblables.

L'inspecteur Roger Johnson, natif de Saint-Ignace, dans le comté de Kent, avait fait ses études primaires dans la petite école de sa communauté, ses études intermédiaires et secondaires à Saint-Louis-de-Kent, le village voisin, et son entraînement policier à Saint-Jean. Au service de la municipalité de Chatham depuis une dizaine d'années, il avait été promu inspecteur en chef de son détachement quatre ans auparavant.

Il n'était pas rare qu'il soit réveillé durant la nuit parce qu'une affaire urgente requerrait son attention. Aussi avait-il le sommeil léger. Cette nuit-là, quand il entendit frapper à la porte de sa maison, il se leva aussitôt et descendit au premier étage, une chandelle à la main.

— Qui est là? s'enquit-il avant d'ouvrir.

— C'est moi, McNeil. C'est Mike qui m'envoie.

L'inspecteur Johnson reconnut la voix de l'agent et déverrouilla aussitôt la porte.

— Il y une urgence, McNeil?

— Je crois que oui. Mike a essayé de vous téléphoner, mais le système était en panne. Il vous demande de venir. Il dit que c'est important.

— Ça, j'aurais pu le deviner, à l'heure qu'il est. Il ne t'a rien dit d'autre?

— Il a mentionné la disparition des enfants à Escuminac.

— Bon. S'il y a du nouveau dans cette affaire, il se peut fort bien que j'aie besoin de quelques hommes. Tu connais les agents sur appel cette nuit?

— Oui.

— Va les chercher. Je m'habille et je vous rejoins au poste.

— Entendu.

La conversation s'était déroulée en anglais. À part Johnson lui-même, très peu de membres du personnel affecté au détachement de Chatham pouvaient s'exprimer en français.

Quand l'inspecteur en chef arriva au poste, quinze minutes plus tard, il fut surpris d'apercevoir un jeune garçon endormi dans un fauteuil. Il écouta attentivement ce que l'agent Mike avait à lui dire, puis relut le rapport d'enquête qui avait été déposé sur son bureau la veille, relativement à la disparition de trois enfants dans la région d'Escuminac. Il était maintenant convaincu que le garçon qui dormait dans le fauteuil, à deux pas de lui, était le même Robert mentionné dans le rapport.

Il se décida enfin à réveiller l'enfant, prononçant son nom d'une voix à peine audible, pour ne pas le sortir trop brusquement de son sommeil, craignant que le drame qu'il avait vécu ait pu le traumatiser. Robert sursauta légèrement et ouvrit aussitôt les yeux. Le regard craintif, il scruta les lieux et mit quelques secondes à reconnaître où il était.

— Bonjour, Robert. Je suis Roger Johnson, inspecteur de police. Est-ce que ça va?

— Oui.

— J'aimerais que tu me racontes ton histoire. Tu le veux bien?

Robert relata à l'inspecteur tout ce qui s'était déroulé depuis leur départ du magasin général. Tout en écoutant attentivement, celui-ci notait dans un calepin les éléments clés qu'il consignerait plus tard au dossier. Occasionnellement, l'enfant était interrompu par une question, à laquelle il répondait du mieux qu'il le pouvait. Ses réponses paraissaient toujours satisfaire l'agent, qui se montrait compréhensif et sympathique. À la fin du récit, celui-ci demanda:

— Tu te souviens du nom de l'auberge?

— Eh… non. J'ai pas vu le nom. J'étais caché dans la cour, en arrière, et j'osais pas bouger. Mais j'me souviens du nom d'la rue. C'est la rue *Hill*.

— Tu en es certain?

— Oui. Je l'ai répété dans ma tête tout l'temps en v'nant ici. J'avais peur d'l'oublier.

— Il n'y a qu'une auberge sur la rue *Hill*. Ne t'inquiète pas. Nous allons te ramener ton frère et ta sœur. Tu es un brave garçon, Robert. Tes parents peuvent être fiers de toi. Tu vas rester ici avec l'agent Mike, pendant que je m'occupe de cette affaire. Ça ne devrait pas prendre trop de temps.

Puis, se tournant vers Mike, il ajouta :

— Envoie quelqu'un aviser le shérif. Il sera sûrement intéressé aux opérations, puisque le crime fut commis en dehors des limites de la ville.

Et il partit, avec deux des hommes qui étaient arrivés au poste en compagnie de l'agent McNeil, pendant que Robert s'installait confortablement dans son fauteuil pour attendre le retour de Paul et d'Émilie. Il se sentait mieux désormais. Il avait la certitude que le cauchemar allait bientôt prendre fin et qu'ils pourraient tous les trois rentrer à la maison. Il était content du rôle qu'il avait joué dans la libération de son frère et de sa sœur. Peut-être ses parents ne lui en voudraient pas trop, finalement.

Quinze minutes plus tard, les trois agents pénétraient dans l'auberge *Light Traveller*, sur la rue *Hill*. Ils se dirigèrent en vitesse au comptoir de la réception. Devant l'expression étonnée du propriétaire à la vue de cette intrusion inattendue — il assurait lui-même le quart de nuit, ne pouvant se payer tout le personnel adéquat —, l'inspecteur Johnson prit les devants. Il s'adressa à l'homme en anglais :

— Nous recherchons un individu qui loge ici. Il est arrivé ce soir, accompagné de deux enfants. Dans quelle chambre se trouve-t-il ?

— Je ne sais absolument pas de quoi vous parlez.

— Ne jouez pas à l'innocent. Ça pourrait vous coûter cher. Nous avons un témoin.

— Mais, je vous le jure !

— Vous niez qu'un homme à la barbe grisonnante est entré ici ce soir, en compagnie de deux enfants ?

— Vers quelle heure il serait venu, d'après vous ?

— Vers vingt-deux heures trente, selon nos estimations.

— Vingt-deux heures trente, vous dites ? Je me souviens qu'un individu barbu est arrivé vers cette heure-là, en effet. Il a demandé à voir un de mes clients. Je lui ai indiqué la chambre et il s'y est rendu. Mais je vous assure que je n'ai pas vu d'enfants.

— Qui est ce client que l'inconnu est venu rencontrer ?

— Il a signé « John Smith » dans le registre.

— John Smith. Vous deviez bien savoir qu'il ne s'agissait pas de son vrai nom.

— Je m'en doutais, en effet. Mais ça ne me concernait pas vraiment. Il m'a payé d'avance pour trois soirs.

— Dans quelle chambre est-il?

— Malheureusement, vous arrivez trop tard, répondit l'aubergiste, après un moment d'hésitation.

— Quoi?

— Il n'est plus là. Lui et l'inconnu sont repartis, il y a à peine une heure.

— Cincinnati! Vous savez où ils sont allés?

— Aucune idée.

— Je vais quand même en avoir le cœur net. Je veux visiter tous les recoins de votre établissement.

— Vous voulez déranger mes clients, à cette heure-ci?

— Je peux envoyer chercher un ordre de perquisition, si vous préférez. Il s'agit d'une enquête policière. Cette vérification s'avère nécessaire.

— Bon. Comme vous voulez. Je suis à votre service.

Et le propriétaire de l'auberge invita les policiers à le suivre.

Les fouilles ne durèrent guère plus d'une vingtaine de minutes, l'établissement ne comportant qu'une dizaine de chambres, dont trois seulement étaient occupées. L'inspecteur Johnson réveilla leurs occupants sans cérémonies et procéda à la vérification sans prêter attention à leurs protestations. Cependant, ces efforts ne révélèrent aucun indice utile, pas plus la chambre louée au dénommé Smith que les autres, et les trois policiers se retrouvèrent bientôt sur le chemin de retour, vers le poste de police.

— Je crains que ce lieu de rendez-vous ne fût qu'une escale pour ces forbans, commenta Johnson. Où se terrent-ils donc maintenant? Et quels sont leurs plans?

— Difficile à dire, répondit l'un des deux collègues, dont les cheveux sel et poivre témoignaient d'une longue expérience. Je parierais néanmoins que ce ravisseur rencontrait ici un intermédiaire, probablement l'homme de confiance d'un capitaine de rafiot mal réputé, qui n'a pas l'habitude d'avoir de remords pour des peccadilles. Je gagerais aussi qu'il ne s'agit pas de sa première incursion dans ce genre d'affaires.

— Tu veux dire qu'on aurait intérêt à ouvrir l'œil sur les activités autour du port à partir de cette nuit?

— C'est mon avis.

— Ton idée me paraît sensée. Peut-être était-ce là leur destination en quittant l'auberge. Allons immédiatement rendre visite au contrôleur du port.

Puis, s'adressant au troisième agent, il ajouta :

— Rends-toi au poste renseigner Mike sur les résultats de l'opération. Si le shérif s'y trouve, demande-lui de nous rejoindre au port.

Le contrôleur n'était pas en service cette nuit-là, mais son assistant put confirmer qu'un seul navire était amarré au quai depuis deux jours, battant pavillon espagnol, et qu'il jouissait d'une bonne réputation. Une visite auprès du capitaine, qui avait accepté, vu les circonstances, de recevoir l'inspecteur Johnson malgré l'heure inusitée, avait permis d'exclure la possibilité que celui-ci ou un membre de son équipage eut pu avoir joué un rôle quelconque dans l'enlèvement et la séquestration des enfants. Si un autre navire était impliqué dans cette affaire, il avait encore à se montrer.

On résolut néanmoins de laisser deux sentinelles en place afin d'y surveiller de près toute activité. Elles seraient relayées à la fin de leur quart de travail, pour assurer la surveillance vingt-quatre heures sur vingt-quatre.

Revenu au bureau, l'inspecteur Johnson fut soulagé de constater que Robert s'était rendormi. Il était chagriné d'avoir à lui annoncer la mauvaise nouvelle, après avoir fait naître chez lui l'espoir que cette sordide aventure était à toute fin terminée. Il allait au moins pouvoir retarder un peu l'exécution de cette tâche désagréable. Il ne pouvait tout de même pas lui mentir, mais il tâcherait de lui donner à croire que la libération de Paul et d'Émilie était tout de même imminente, malgré ce contretemps. Il était sûr que ce n'était plus qu'une question d'heures.

Il envoya McNeil, assisté de deux autres agents, visiter toutes les auberges de la ville afin de s'assurer que le ravisseur et son acolyte, John Smith, ne s'étaient pas réfugiés dans l'une d'elles, ne changeant de lieu d'hébergement que pour tromper la vigilance des autorités, si celles-ci devaient se manifester. Il remplit ensuite le rapport des opérations récentes, y notant tous les détails qu'il jugea utiles. Il y indiqua également l'heure: trois heures trente. Il prépara un message télégraphique à l'intention du père de Robert, l'avisant que son fils était sain et sauf, sous sa garde, au poste.

Il aurait aimé pouvoir en dire autant au sujet des deux autres infortunés. Il ne pouvait pas fournir d'information détaillée dans un télégramme, mais il ne pouvait pas non plus omettre de mentionner que les deux enfants manquaient toujours à l'appel. Pour le père, cela serait encore bien pire que la vérité. Pas question, non plus, de laisser entendre que tous les trois étaient en sécurité. Il se contenterait de souligner la présence de Paul et d'Émilie en ville et de préciser que des opérations de recherche se déroulaient présentement. Il ferait transmettre le message dès sept heures, heure à laquelle le poste de télégraphie d'Escuminac commençait ses activités. En attendant l'arrivée du père de Robert, il prendrait celui-ci sous sa tutelle et,

dès son réveil, il l'amènerait dormir quelques
heures chez lui.

CHAPITRE

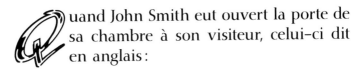 uand John Smith eut ouvert la porte de sa chambre à son visiteur, celui-ci dit en anglais :

— Je suis arrivé. Mais je ne peux pas laisser les enfants sans surveillance. Il faut que…

— Shhh! Entre!

Aussitôt que le ravisseur fut entré et que la porte fut refermée, Smith déclara :

— Ne prononce pas ce mot, Wolverine. Entre nous, on parle de marchandise.

— Bon. D'accord. Mais il faut que je les fasse entrer. Je ne veux pas les laisser dehors sans surveillance.

— Va les chercher. Il y a une remise près de la porte de service, en arrière. Tu les y enfermeras. Prends soin de ne pas les faire voir et de bien les ligoter.

— Ne crains rien. Et ils sont bâillonnés aussi.

Cinq minutes plus tard, le ravisseur revint à la chambre.

— Tu y as mis du temps à accomplir ta besogne! Ça fait plus de trois jours que je suis là.

— Je ne m'attendais pas à aller aussi loin avant qu'une occasion favorable se présente. J'ai dû me rendre jusqu'à Escuminac. Pas que tu connaisses cette place-là, toi, je crois bien. Puis, au retour, je ne pouvais pas risquer de voyager le jour.

— Tu en as récolté combien?

— Deux, répondit Wolverine, après un moment d'hésitation.

— Il s'en est fallu de peu que tu te montres trop tard. Je repartais demain, que tu sois là ou non.

— C'est quand que le bateau arrive?

Wolverine aurait aimé que l'affaire soit conclue le plus tôt possible. Plus le temps passait, plus le danger que le jeune évadé donne l'alerte devenait imminent.

— Demain, et il reprend la mer après-demain.

— Et nous allons attendre ici tout ce temps-là?

— Non. Nous changeons d'endroit. Nous partirons bientôt. C'est le capitaine qui l'a décidé. Il viendra nous y joindre aussitôt qu'il sera arrivé.

— Ce ne sera pas trop tôt. J'ai bien hâte de me débarrasser des enf... de la marchandise. Je crois que je commence à être trop vieux pour ce métier-là.

— Toi, Wolverine, gagner ta vie honnête-ment? Je ne verrai jamais ce jour. Tu aimes trop l'argent pour ça.

— Oh, je ne sais pas. J'y pense des fois.

— Mais, dis donc, c'est quoi cette blessure que tu as au front? Elle est récente, on dirait.

— Ah, ce n'est rien. Un petit accident qui est survenu tout à l'heure.

— Un accident?

— C'est bête. J'ai trébuché et je suis tombé. Je me suis frappé la tête contre une pierre. Une égratignure.

Le ravisseur ne parvenait pas encore à s'expliquer ce qu'il lui était arrivé. Mais il ne voulait pas en parler, surtout que l'incident était relié à l'évasion d'un des trois enfants et qu'il espérait garder secret ce malencontreux incident. Il fut soulagé que Smith n'insiste pas davantage.

Peu après vingt-trois heures, guère plus d'une demi-heure après que Robert eut abandonné sa vigile pour se rendre au poste de police, nos deux compères sortirent de l'auberge, emportant avec eux les deux prisonniers. Ils prirent la direction du traversier, qui devait les déposer sur la rive nord de la rivière Miramichi. Wolverine conseilla à Smith de s'installer à l'intérieur du chariot et de veiller à ce que les enfants restent parfaitement tranquilles durant le voyage.

La vue de l'étranger causa un certain traumatisme à Paul et Émilie. Que leur voulait cet homme dont l'allure n'augurait que le malheur? S'il était associé au kidnappeur, qui ne se faisait pas de scrupules à brandir une arme sur des enfants, sa présence accentuait encore la précarité de leur situation. Et où était passé Robert? S'il ne venait pas les secourir sous peu, il risquait d'arriver trop tard.

Noyés dans les ténèbres profondes qui régnaient dans les confins de la voiture, les enfants ne pouvaient même pas distinguer la physionomie de l'inconnu, dont les mises en garde qu'il marmonnait en anglais de temps en temps les invitaient à rester bien sages. Un fanal était suspendu à l'extérieur du chariot, comme l'exigeait le règlement de la route lors de déplacements la nuit, mais sa lueur terne ne parvenait pas à s'infiltrer de façon significative entre les fentes de la carrosserie, qui étaient pourtant nombreuses.

Émilie avait répété en vain les efforts pour déverrouiller la porte de leur prison en utilisant son pouvoir extraordinaire de concentration, autant pendant son séjour dans la voiture en roulant vers la ville que durant l'heure qu'ils avaient passée dans la remise de l'auberge, elle et son frère. Sa déception était grande. Plus tôt dans la soirée, pourtant, sans même y penser, n'avait-elle pas réussi à protéger Robert et à lui permettre de s'enfuir? Mais où était-il, Robert? Elle commençait à perdre espoir de ne jamais parvenir à s'échapper.

PARTIE

— Vous voulez que je m'assoie? répéta David.
C'est si grave que ça, c'que vous avez à m'dire?
C'est à propos des enfants?

David était devenu blême. Une sensation de
froid l'avait saisi, comme si un sang glacé circu-
lait dans ses veines. Joachin le prit par le bras
et le guida vers une chaise.

— C'est une nouvelle qui devrait vous
soulager un peu, consentit Joseph Ozouff, visiblement mal à l'aise, cherchant les mots appro-
priés en pareille conjoncture. En tout cas, ça lève
le voile sur une partie du mystère.

— Alors, c'est quoi, la nouvelle?

— À sept heures ce matin, j'ai reçu un télégramme de l'inspecteur Johnson, de la police de Chatham. D'abord, il me dit que le shérif s'apprêtait à envoyer deux agents ici, dès ce matin, pour ouvrir une enquête sur la disparition de vos enfants. Mais un autre événement extraordinaire l'a fait changer d'idée.

— Qu'est-ce qui pourrait êt' arrivé d'assez important pour l'empêcher de v'nir enquêter sur la disparition d'mes enfants?

— Eh, bien, je crois qu'il est préférable de vous laisser lire vous-même le message qui vous est adressé.

Le marchand lui tendit la feuille... À peine David eut-il jeté un coup d'œil sur la missive qu'il s'écria :

— Grand Dieu! Ils ont r'trouvé Robert.

À mesure qu'il lisait, son visage devenait livide. Une fois la lecture terminée, il resta silencieux, le regard perdu.

Joachin, que la curiosité rongeait, avança la main vers la feuille.

— Est-ce que je peux ...?

Mais David ne l'entendit pas. Joachin prit alors la feuille des mains de son ami et lut :

« *Poste de police. Chatham, NB.*

À David Manuel

Fils Robert ici au poste sain et sauf. Deux autres enfants en ville. Recherchons activement. Venez dès que possible.

Inspecteur Johnson »

— Mais, David ! C'est une bonne nouvelle, ça ! s'exclama Joachin. Au moins, tu sais où y sont.

— C'est sûr que j'suis heureux, pour Robert. Mais comment ça s'fait qu'les deux aut' sont pas avec lui ? Comment y ont été séparés ? D'abord, comment qu'y s'sont r'trouvés là-bas, à plus de trente miles d'ici ?

— T'inquiète pas trop d'avance. L'explication est probablement moins dramatique que tu l'anticipes.

— Je suis d'accord avec monsieur Martin, intervint le marchand. Pour le moment, accrochez-vous au fait que Robert est en sécurité. Puis, d'après l'inspecteur Johnson, il y a lieu d'espérer que Paul et Émilie le seront sous peu.

Maintenant, nous devons nous mettre en route sans tarder.

— Nous?

— Monsieur Manuel, vous ne pensez tout de même pas que je vais vous laisser vous organiser tout seul, en pareilles circonstances. À quoi bon les amis, alors? Vous ne possédez ni monture, ni cabriolet. Moi, si. Depuis ce matin, j'ai tout planifié, en attendant que mon message vous parvienne. J'ai vu aux arrangements pour pouvoir m'absenter une couple de jours. Mon épouse nous a préparé des vivres en suffisance et elle s'occupera du magasin. Nous partons à l'instant.

— Monsieur Ozouff. J'sais vraiment pas quoi dire. J'suis…

Assailli par tant d'émotion, il réalisa que la voix lui manquait. Il essuya une larme du revers de la main et resta silencieux, le temps de retrouver son assurance. Puis, il s'adressa à Joachin:

— Va annoncer la nouvelle à Vitaline. Crée pas d'faux espoirs, pour Paul et Émilie; mais assure-toi qu'a s'alarme pas inutilement.

— Tu peux compter sur moi. Bon voyage et que Dieu t'porte chance.

— Pendant que vous y êtes, ajouta Joseph Ozouff à l'endroit de Joachin, n'oubliez pas d'avertir Antoine. Il pourra rappeler ses hommes et suspendre les recherches.

— Entendu.

uelque temps plus tard, David et Joseph Ozouff sillonnaient la route menant vers Chatham. Occasionnellement, le marchand tentait d'engager la conversation, afin de distraire son ami du désarroi qui l'accablait visiblement; mais il ne recevait, chaque fois, qu'un grognement d'assentiment. Aussi, la première moitié du voyage s'effectua-t-elle en majeure partie dans le silence.

David était complètement bouleversé par les événements. Il avait vécu ces deux derniers jours comme un mauvais rêve, dont on ne contrôle pas le déroulement et dont on n'arrive pas à s'extirper. La réalité le dépassait; il avait l'impression de perdre tous ses moyens. Il était, sans contredit, soulagé que son fils aîné ait été retrouvé, mais tant de questions demeuraient sans réponses, tant d'incertitudes menaçantes planaient encore au-dessus de cette malheureuse histoire qu'il ne savait dire si, dans l'ensemble, sa souffrance s'en trouvait allégée de beaucoup pour autant.

Le cheval de Joseph Ozouff était de bonne race et pouvait trotter à vive allure sur d'assez longues distances. N'eut été la condition médiocre de la route, ils eurent pu compléter le trajet en deçà de cinq heures. Mais il importait de ménager la monture et de s'assurer que le cabriolet ne subisse pas d'avaries qui les auraient contraints à l'abandonner en bordure du chemin ou, tout au moins, à poursuivre à pas de tortue, ce qui aurait été également désastreux. On adopta néanmoins une cadence respectable, qui devait rendre les deux amis à destination peu après quatorze heures.

À mi-chemin du parcours, ils firent une halte pour permettre au cheval d'étancher sa soif et de récupérer. Les voyageurs en profitèrent pour se dégourdir les jambes et prendre un léger goûter.

Peu de temps après qu'ils se furent remis en route, David rompit le silence.

— Plus j'y réfléchis, plus je suis convaincu qu'y a yinqu'une réponse à ce mystère.

— Ah? Et c'est quoi, la réponse?

— Quelqu'un a contraint les enfants à monter dans sa voiture, les y a enfermés et les a transportés à Chatham.

— J'aimerais bien pouvoir vous proposer une autre explication moins sombre, monsieur Manuel; mais je dois avouer que j'en suis arrivé à la même conclusion.

— Dans quel but, Grand Dieu?

— J'ai espoir que nous en saurons plus long une fois rendus.

Au bout d'une longue période de silence, David reprit:

— Monsieur Ozouff, vous auriez pas vu, par hasard, des étrangers rôder dans les parages dernièrement?

— Des étrangers?

— Des types qui suscitent la méfiance, des profiteurs, des itinérants ombreux?

— Ah, je crois que je vois où vous voulez en venir. Non. Pas que je me souvienne.

— Vous vous rappelez le petit Goguen qui avait disparu de Rogersville, trois ans passés? On l'avait finalement découvert dans la cale d'un navire qui avait fait escale à Halifax, en compagnie d'trois aut's enfants.

— Bien sûr que je m'en souviens. Et vous craignez que vos chers petits aient été enlevés dans le même but?

— C'est l'inquiétude qui m'ronge, en effet.

Après réflexion, le marchand dit, d'une voix hésitante:

— Écoutez, monsieur Manuel, je ne veux surtout pas ajouter à vos craintes, mais puisqu'on en parle, je viens de me rappeler, tout à coup, que la veille de la disparition des enfants, une de mes clientes de Baie-Sainte-Anne m'a raconté qu'elle avait reçu la visite d'un vendeur itinérant d'ustensiles de cuisine. Elle avait trouvé bizarre qu'en traversant le village, il n'arrêtait pas à toutes les maisons. Selon elle, il s'agissait d'un étranger qu'elle voyait pour la première fois dans les parages.

— Comment voyageait-il?

— En chariot et à cheval.

— A-t-elle dit d'où y v'nait?

— Non. Elle ne l'a pas mentionné.

— Si y'a à voir dans la disparition des enfants, y pouvait yinque v'nir d'la ville. Y'a des bonnes chances que ce soit notre homme.

— Nous en parlerons à l'inspecteur Johnson.

avid et le marchand se relayèrent aux rennes durant le voyage, permettant à chacun, à tour de rôle, de jouir de quelques moments de repos. Ils parvinrent à Chatham peu après quatorze heures. Ils se diri‐gèrent immédiatement au poste de police, où les attendait l'inspecteur.

C'est Robert qui les aperçut le premier. Il s'élança vers son père.

— Papa!

— Robert! Mon Dieu, que j'suis content de te r'trouver!

En serrant son enfant dans ses bras, des sanglots échappèrent au père, témoignant de la joie et du soulagement de revoir son fils aîné. Tout le long du voyage, il avait été tourmenté par la crainte qu'une erreur quelconque ait été commise, que ce ne fût pas réellement son fils qu'il allait retrouver là-bas. Aussi, il ressentait qu'un poids immense venait de disparaître de son esprit.

L'inspecteur Johnson s'était approché, en compagnie du shérif. Après les présentations d'usage, il dit :

— Monsieur Manuel, si vous voulez bien nous suivre dans mon bureau, nous allons vous mettre à jour sur les progrès de l'enquête.

David fit signe que oui, puis dit à Robert :

— Reste ici avec monsieur Ozouff, ça s'ra pas long.

David apprit tout ce qui s'était déroulé depuis l'enlèvement jusqu'à la descente des policiers à l'auberge. On lui fit aussi le compte rendu de la visite au port. Parfois, le shérif ajoutait un commentaire ou une précision. Au fil du récit, le choc de diverses émotions pouvait se lire sur le visage du père éploré. Malgré les multiples questions qui surgissaient dans sa tête, il se retint d'en poser jusqu'à ce que l'inspecteur ait achevé son rapport.

Puis, à son tour, il leur fit part de l'information reçue de Joseph Ozouff à propos du vendeur d'ustensiles.

— Ces renseignements confirment nos soupçons, affirma le shérif. Il y a quelques mois, le bureau de Saint-Jean nous a informés qu'un individu connu sous le nom de Wolverine était recherché comme suspect dans une affaire de tentative d'enlèvement. Le profil fourni avec l'avis de recherche correspond bien à la description que vous venez de nous donner et à celle que votre fils a dressée de son ravisseur.

— Et ce John Smith serait son complice? questionna David.

— Dans cette affaire-ci, sûrement. Au point où nous en sommes, nous ne savons pas s'ils ont tenu d'autres négoces ensemble auparavant.

— La description que nous en a fournie l'aubergiste ne nous a pas permis d'établir l'identité de ce Smith, jusqu'à maintenant, intervint l'inspecteur Johnson.

— Vous croyez qu'y s'trouvent toujours en ville?

— En toute probabilité. Mais je suis convaincu qu'ils vont tenter d'en faire sortir les enfants bientôt. Le port a été placé sous haute surveillance et nous avons recommandé aux autorités de la gare ferroviaire d'être aux aguets et de nous signaler tout suspect répondant au signalement que nous leur avons transmis des deux types, quoiqu'il soit plutôt invraisemblable qu'ils risquent d'être vus avec les enfants dans une gare ou dans un train. C'est la voie maritime qui nous semble la plus probable. Nous sommes sûrs qu'ils ne nous échapperont pas.

— Chatham est-y l'seul port où les navires peuvent accoster dans les environs?

— Il est le principal. Il y a bien quelques bateaux de faible tonnage qui remontent la Miramichi jusqu'au quai de Newcastle. On en a justement vu passer un cet après-midi, un peu avant votre arrivée, allant dans cette direction. Il y est sûrement amarré à l'heure qu'il est.

— Et vous croyez pas que les ravisseurs pourraient utiliser ce quai comme point d'embarquement?

— Le détachement, là-bas, a été avisé des opérations que nous menons ici et ils ont promis de garder l'œil ouvert. J'ai confiance qu'ils ont aussi le quai sous surveillance.

— Qu'est-ce que j'peux faire, moi, dans tout ça?

— Rien d'autre qu'attendre, j'en ai bien peur. Avez-vous un endroit en ville où rester?

— Non. Mais s'il le faut, j'prendrai une chambre à l'hôtel.

— Je peux vous en recommander un, tout près, à prix raisonnable.

— Merci, c'est apprécié.

À l'issue de la rencontre, David alla rejoindre Robert et le marchand, puis ils sortirent de l'édifice. Encore sous l'émotion des retrouvailles, le père et le fils se serraient l'un contre l'autre en marchant vers le cabriolet de Joseph Ozouff. Celui-ci aurait aimé que David le renseigne sur ce qu'il venait d'apprendre des policiers, mais il n'osait pas le questionner devant Robert. Il en savait quand même plus qu'avant leur arrivée, le garçon l'ayant mis à jour sur les détails qu'il connaissait de l'affaire durant l'absence de son père.

Une fois qu'ils furent tous les trois montés dans la voiture, David dit :

— L'inspecteur Johnson m'a r'commandé un hôtel, où nous pourrons rester en attendant la fin d'cette histoire.

— Un hôtel? C'est dispendieux. J'ai des amis, ici, monsieur Manuel, qui seront contents de nous recevoir et de nous héberger aussi long-temps qu'il le faudra. Nous n'avons pas besoin d'aller à l'hôtel.

— Vous pensez vraiment que ça s'rait pas abuser de leur hospitalité?

— Pas le moindrement. Quand ils apprendront pourquoi nous sommes là, ils se sentiront privilégiés de pouvoir vous rendre service.

— Dans c'cas-là, c'est pas d'refus.

David s'en trouvait soulagé. Ses moyens financiers étaient passablement limités et il s'était demandé comment il allait faire pour régler la note de l'hébergement. De plus, une idée mijotait dans sa tête, dont il n'osait pas parler devant

Robert; cela allait nécessiter qu'il s'absente et qu'il laisse son fils entre bonnes mains durant un certain temps. La proposition du marchand tombait vraiment à point. Une fois rendu chez les amis de celui-ci, il verrait mieux ce qu'il y aurait à faire.

Ils furent reçus avec chaleur et sollicitude chez les amis de Joseph Ozouff, un couple simple et affable, avec qui David et Robert se sentirent immédiatement à l'aise. Le marchand mit ses amis au courant de la triste aventure, en se limitant aux principaux faits. Les hôtes se montrèrent sympathiques et ne posèrent aucune question indiscrète qui aurait pu accentuer la douleur du père éprouvé ou susciter inutilement des souvenirs douloureux chez la victime présente. Étant donné que l'heure du souper approchait, les nouveaux arrivés furent invités à partager le repas.

Après avoir mangé, les trois hommes sortirent fumer sur la galerie, pendant que Robert se laissait apprivoiser par l'hôtesse, qui lui rappelait étrangement leur voisine, Madeleine. David en profita pour leur faire part du projet qu'il avait en tête :

— Le port, ici, est ben surveillé, mais j'suis pas certain que l'quai de Newcastle l'est autant. J'aimerais m'y rendre et y passer la nuit, s'il le faut, à observer les activités qui pourraient s'y dérouler. Au moins, j'aurai l'impression d'faire que'que chose d'utile.

— Eh, bien, je vous accompagne, monsieur Manuel, proposa le marchand. À deux, la vigile sera moins lourde. Je partage votre avis que nous devons explorer toutes les avenues qui s'offrent à nous.

Se tournant vers leur hôte, David ajouta :

— Dans c'cas-là, y faudrait que j'puisse laisser Robert avec vous.

— Mais, bien sûr. Ça nous fera plaisir de le garder. Il sera bien ici et vous pourrez avoir l'esprit tranquille.

— J'ai r'marqué que vous avez le téléphone. Pourriez-vous informer l'inspecteur Johnson où il peut nous joindre cette nuit, au cas où y chercherait à nous atteindre?

— Certainement, monsieur Manuel. Je le ferai sans faute. Ne vous inquiétez pas.

— Merci. J'apprécie beaucoup votre aide.

Environ une heure plus tard, ayant traversé la rivière Miramichi et descendu vers le sud, David et le marchand quittaient le *King George Highway* pour emprunter *Ledden Street*, qui menait au quai de Newcastle. En cours de route, Joseph Ozouff avait eu tout le loisir de questionner David sur les aspects de l'enquête qu'il ignorait jusque-là, et il en avait profité.

— Je comprends encore mieux maintenant votre décision de venir faire la vigile ici. Je n'aurais pas décidé autrement à votre place. Avec des malfaiteurs de cette trempe, on ne peut pas être trop prudent.

— C'est c'que j'me disais. Oh, y peuvent ben nous filer entre les doigts quand même, mais, au moins, on aura tout essayé.

En arrivant sur le quai, ils remarquèrent qu'un vaisseau y était effectivement amarré et que des opérations de déchargement se déroulaient. Ils se dirigèrent vers le poste du contrôleur. Celui-ci les mit au courant des activités maritimes des deux derniers jours. Un navire jersiais avait levé l'ancre, l'avant-veille, en partance pour Cap-aux-Meules, aux Îles de la Madeleine, emportant une cargaison de bois de charpente. Le seul arrivage depuis était le brick que l'on pouvait voir. Il avait accosté vers quatorze heures trente avec un chargement d'outils agricoles, de tissu et de meubles, en provenance de Boston, et il reprendrait la mer le lendemain, à l'aube, chargé de planches, de poisson séché et de lard salé, en direction du sud des États-Unis, à destination de la Nouvelle-Orléans.

On ne construisait plus de véritables bricks depuis plusieurs années. On utilisait désormais une conception modifiée de cette embarcation à deux-mâts et à voilure carrée, qui avait été si populaire au siècle précédent. Le profil de ce nouveau modèle, à tonnage réduit et au déplacement plus rapide, rappelait son ancêtre au point que, dans plusieurs régions du globe, on continuait toujours à le désigner par le même nom. C'était ce nouveau type de vaisseau que David et le marchand pouvaient voir amarré au quai de Newcastle.

Quand David signifia son intention d'aller parler au capitaine du navire, le contrôleur lui apprit que celui-ci n'y était pas, qu'il l'avait vu partir vers le centre-ville à l'heure du souper, et qu'il n'était pas encore revenu.

— Depuis que le brick est arrivé, vous n'auriez pas aperçu un ou deux hommes accompagnés de deux enfants sur le quai? questionna David en anglais.

— Non, mais je trouve bizarre que vous me le demandiez. Un policier est venu me poser la même question, il y a à peine deux heures. Lui, il est allé parler au capitaine Brodrick, qui n'est pas un inconnu. Il fait escale ici assez régulièrement. En descendant du vaisseau, l'agent est repassé me voir pour me recommander de garder l'œil ouvert et de ne pas autoriser le brick à lever l'ancre, demain, avant qu'il m'ait donné son aval. Il ne m'a pas offert d'explication. Vous pouvez me le dire, vous, ce qu'il en retourne?

— Si la police veut tenir ça secret, elle a ses raisons. Je vous remercie pour l'information.

En revenant vers la voiture, le marchand commenta:

— On semble prendre l'affaire au sérieux. Il sera difficile pour ces bandits d'embarquer les enfants à l'insu des agents, si par hasard c'était là leur intention. Apparemment, ils comptent aussi inspecter le brick, demain, avant de l'autoriser à reprendre la mer.

— Tant mieux. Pour ma part, j'resterai ici aussi longtemps qu'y aura une embarcation à voir dans les environs ou qu'j'aurai pas la nouvelle qu'on a r'trouvé les enfants. Et j'ai l'intention d'examiner d'près tout c'qui bougera dans l'voisinage.

— Je suis du même avis. Et si l'un de nous deux s'endort, l'autre veillera.

CHAPITRE 5

onsieur Smith avait conduit le ravisseur et les enfants dans un entrepôt,
à proximité du quai de Newcastle,
conformément aux directives que le capitaine lui
avait données lors de leur rencontre au port de
Chatham, la semaine précédente. C'est là qu'ils
s'étaient donné rendez-vous en ce vendredi soir,
à l'heure du souper. La veille, Paul et Émilie
avaient été enfermés dans une salle contiguë,
où ils avaient passé le reste de la nuit, couchés
sur un lit de fortune. Le lendemain, on leur avait
apporté de l'eau et de la nourriture à l'heure des
repas.

En fin d'après-midi, les deux complices
commençaient à afficher de la nervosité.

— Mais qu'est-ce qu'il fabrique, le capitaine, qu'il ne se montre pas? se plaignait Wolverine. Il a accosté depuis plus de deux heures, déjà.

— Il viendra, quand ça lui conviendra.

— Moi, cette attente, ça finit par me créer de l'anxiété.

— Du calme. Tu n'as pas l'habitude de t'énerver pour des riens.

Mais Wolverine avait une raison de s'inquiéter que Smith ignorait. Aussi souhaitait-il ardemment que toute l'affaire soit réglée sans que s'ébruite l'évasion du troisième enfant. Il ne fallait surtout pas que ce malencontreux incident parvienne aux oreilles du capitaine. La transaction risquait alors d'être compromise. Et plus les heures passaient, plus le risque en était grand.

Dans la pièce voisine, Paul et Émilie ne se portaient pas si mal, mais ils s'inquiétaient, bien sûr, de leur sort et ils trouvaient le temps très long. Ils espéraient toujours voir surgir du secours; cependant, au fur et à mesure que les heures s'écoulaient, l'espoir s'affaiblissait. Ils comprenaient suffisamment bien l'anglais pour pouvoir suivre certaines parties de la conversation que tenaient les deux complices, qui leur parvenait plus ou moins distinctement à travers les parois. Ils écoutaient attentivement chaque fois qu'ils entendaient parler à côté, souhaitant découvrir quel sort on leur réservait.

— Mais, dis donc, reprit Smith, veux-tu bien me dire où tu as pris un nom pareil? «Wolverine!»

— Pourquoi tu veux savoir ça?

— Je suis curieux, c'est tout.

— Hum, grogna Wolverine, après un moment de silence. Ça date de loin. Quand j'étais jeune, j'ai habité dans le nord du pays, durant quelques années, avec mon oncle. Il était trappeur. Nous passions l'hiver dans une cabane en bois rond construite sur le bord de la rivière Yukon, du territoire du même nom. Mon oncle m'avait enseigné les secrets du métier et j'y gagnais assez bien ma vie. Un hiver, en visitant mes pièges, j'avais décelé la présence d'un carcajou[5], qui fréquentait les environs depuis déjà assez longtemps, apparemment, et qui ravageait mes

---

5. Carcajou: « *wolverine* » en anglais.

attrapes en dévorant un animal piégé avant que je puisse le récupérer. J'aurais bien aimé trouver un moyen de m'en débarrasser, mais ç'aurait été tout un exploit.

— Comment ça?

— Un carcajou, c'est sans doute le carnivore le plus rusé et le plus féroce qui existe au Canada. Il est le cauchemar de tous les trappeurs. Il ne se laisse pas facilement capturer. On raconte qu'assez souvent, il arrive même à désamorcer les pièges sans s'y prendre pour ensuite dévorer l'appât en toute sécurité. Ce samedi-là— je ne suis pas prêt de l'oublier —, j'arrivai à proximité d'une de mes attrapes qui n'avait pas été visitée durant la nuit. Je décidai d'en améliorer la position et le camouflage. J'avais à peine enlevé mes raquettes, quand je fus surpris par le râle caractéristique de cette bête infâme, tout près, derrière moi. Elle devait m'avoir suivi en flairant mes traces depuis un bon bout de temps sans que je m'en rende compte. Je me retournai en vitesse, relevant ma carabine et m'apprêtant à mettre l'animal en joue. Mais j'étais en déséquilibre et je fis un faux pas, posant le pied sur le piège. Malgré que je fusse chaussé de bottes solides, les dents d'acier la transpercèrent et s'ancrèrent solidement dans mon pied, me causant une douleur atroce. Je tombai à la renverse, échappant mon fusil, qui alla aboutir hors de ma portée.

— Damnation! s'exclama Smith, pris par le récit.

— Un carcajou, ça ne craint rien : ni l'humain, ni aucun animal. Il a dû sentir que j'étais blessé et dans l'impossibilité de fuir ou de me défendre. Il s'aventura à m'approcher, anticipant probablement un banquet inusité. Mais, moi, je n'avais pas l'intention de lui servir de mets principal. Je tirai mon couteau en tentant de me relever. J'étais encore à genoux quand il s'élança sur moi. Son poids considérable et la vélocité de son élan me renversèrent sur le dos. Je protégeai ma gorge de ses crocs acérés en lui présentant mon avant-bras, sur lequel il referma ses mâchoires, dont la force herculéenne fit pénétrer ses dents à travers l'épaisse étoffe du parka, jusque dans la chair de mon bras. Bizarrement, je ne me souviens pas trop de la douleur, mais je peux encore flairer l'odeur fétide qui s'échappait de cette gueule diabolique. D'instinct, j'avais présenté mon bras gauche au fauve, laissant libre la main qui tenait le couteau. Sans perdre de temps, je lui enfonçai la lame dans le flanc.

— *Good!* L'as-tu tué?

— Jamais de la vie. Cet animal est plus coriace que ça. Se jetant en arrière, il lança un hurlement strident à m'en percer les tympans. Cela eut l'heureux effet de me libérer le bras. Je me relevai juste à temps pour absorber l'impact de son deuxième assaut. Cette fois, je le reçus solidement. Mon couteau s'enfonça à nouveau, plus haut, entre les côtes. L'animal se défit de ma lame en se tortillant comme un démon, mais je pus voir qu'il était affaibli et il saignait abondamment. Il n'avait plus le goût de continuer l'attaque. Il gambada vers un bosquet, où il disparut. Je dégageai mon pied du piège. La blessure était douloureuse, mais, apparemment, pas très sérieuse. Je récupérai mon fusil et j'attendis quelques minutes. Puis, n'entendant plus rien du côté du bosquet, je me résolus à aller y jeter un coup d'œil. Je m'avançai prudemment, mon fusil en main et le doigt sur la gâchette. Mon carcajou gisait là, allongé, raide mort.

— C'est toute une histoire.

— Tu sais, très peu d'hommes peuvent témoigner d'avoir été attaqué par ce fauve, car la plupart de ceux qui ont vécu cette expérience ne s'en sont pas sortis vivants.

— Si je comprends bien, tu fais figure de légende.

— Peut-être. En tout cas, je me suis confectionné une casquette avec sa peau. Depuis ce jour, les trappeurs du coin m'ont attifé du sobriquet «Wolverine» et il m'a suivi depuis.

— On ne peut pas dire que tu as mené une vie banale. Si on ajoute à cela les aventures que nous avons courues ensemble au cours des ans.

— Oui. La chance m'a souri, jusqu'à maintenant. C'est peut-être le temps pour moi...

Ils furent interrompus par deux coups secs frappés à la porte.

Quand le capitaine Brodrick entra dans la pièce, son visage trahissait une humeur maussade. Il attendit que Smith lui présente son compagnon.

— Capitaine Brodrick, vous connaissez Wolverine?

— De réputation seulement.

— Bonsoir, capitaine, le salua Wolverine.

— Il nous apporte de la marchandise, reprit Smith, content d'annoncer au capitaine une information qui ne manquerait pas de le réjouir.

— J'ai bien peur qu'il nous apporte aussi des problèmes, répliqua celui-ci, en portant un regard courroucé sur le ravisseur.

Ces paroles eurent un effet paralysant sur les deux autres hommes. Ce fut Smith qui se ressaisit le premier.

— Que voulez-vous dire, capitaine?

— La police est aux alertes. Elle est venue me questionner au quai dès mon arrivée. À en juger d'après la teneur de l'interrogation, il est évident qu'elle a eu vent d'un enlèvement et qu'elle surveille de près toute activité maritime dans la région.

Puis, regardant Wolverine droit dans les yeux, il lui demanda:

— Tu peux m'expliquer ça, toi?

Et comme l'apostrophé hésitait à répondre, le capitaine ajouta:

— Les autorités ont sûrement été alertées. Sinon, comment seraient-elles si bien informées de la présence de la marchandise dans la région?

Le ravisseur restait coi, les oreilles rouges. Il avait baissé le regard. Son espoir que l'affaire puisse être conclue sans qu'il ait à révéler sa mésaventure venait de s'éteindre. Le chat était sorti du sac et il n'y avait probablement plus aucun avantage, désormais, à cacher la vérité. Puis, subitement, il sentit son espoir renaître. Peut-être les dommages n'étaient-ils pas irréparables, malgré tout, et qu'il était encore possible de sauver la situation, afin que la transaction anticipée ait toujours lieu. Relevant la tête, il dit, sur un ton de voix qu'il souhaitait convaincant:

— Elles ne savent probablement pas que la marchandise est ici. Il serait normal qu'elles aient reçu un télégramme d'Escuminac les avisant des disparitions et qu'elles vérifient toutes les avenues.

— Je ne suis pas porté à te donner raison, retorqua Brodrick, qui cachait mal son irritation. De toute façon, le risque est trop élevé. Pas question que j'accepte ta marchandise dans ces conditions.

— Mais, capitaine Brodrick, vous n'allez pas me faire ça, avec toutes les peines que je me suis données. Votre homme, Smith, m'a promis que vous la prendriez, et à très bon prix.

— Ça, c'était avant. La situation est changée.

Il y eut un silence qui dura pesamment. Wolverine, la mine piteuse, semblait avoir perdu l'usage de la parole. De son côté, le capitaine nourrissait quelque réticence à annuler définitivement la transaction. Il pensait à ses clients, là-bas, qui seraient vivement déçus s'il arrivait les mains vides; des conséquences indésirables s'ensuivraient sûrement. Il pourrait leur fournir les meilleures excuses du monde que ça ne changerait rien à leurs dispositions.

— Il y a peut-être une porte de sortie, finit-il par articuler, comme à contrecœur.

— C'est quoi? s'exclama Wolverine, pressé de s'accrocher à toute lueur d'espoir. Je ferai n'importe quoi.

— J'ai bien dit «peut-être». C'est loin d'être assuré.

— Je vous écoute.

— Il m'arrive parfois de faire escale au quai de Loggieville, quand j'ai à y décharger ou à y prendre du fret. Ce quai ne devrait pas être surveillé par la police. Étant donné que les gros navires n'y amarrent pas, elle ne doit pas soupçonner que la marchandise pourrait y être embarquée. Même avec mon brick, qui est à faible tirant d'eau, je ne peux m'y rendre qu'à marée haute. J'ai accès à l'entrepôt attenant au quai. Si tu arrives à y transporter la marchandise et à l'y enfermer dans une des caisses à bétail qui s'y trouvent, portant le nom de mon vaisseau, il est possible que je puisse accoster et la récupérer, mais uniquement si le champ est libre.

— Vous voulez dire que je dois rebrousser chemin jusqu'à Loggieville? Mais c'est dangereux, ça. Je risque de rencontrer la police. Si elle m'intercepte et me fouille, je suis cuit.

— C'est à prendre ou à laisser. Tu n'as qu'à t'arranger pour ne pas la rencontrer, la police. N'utilise pas le traversier. Emprunte le pont. Ce sera un peu plus long, mais, ainsi, tu pourras contourner Chatham.

— Quant à ça, je connais assez bien tous les recoins de cette ville pour éviter qu'on me voie.

— En tout cas, c'est ta seule chance. Sinon, on oublie tout.

— Bon. D'accord.

— Alors, voici une clef qui te permettra d'ouvrir la porte de l'entrepôt. Tu me la rendras là-bas.

— Merci. Et quand allez-vous me payer?

— Quand la marchandise sera entreposée en sécurité dans la cale de mon bateau. Pas avant. Puis tu dois partir cette nuit.

— C'est quand que vous allez accoster à Loggiville?

— Peu après l'aube. En l'occurrence, ça adonne bien. La marée sera à son niveau le plus haut au moment où j'arriverai là-bas.

— Toi, Smith, tu m'accompagnes? s'enquit Wolverine.

— Oh, non! Je n'ai pas envie de me mettre la corde au cou. Moi, j'embarque avec le capitaine Brodrick, s'il me le permet.

— Fais à ta guise, répliqua le capitaine.

David et Joseph Ozouff se relayaient aux deux heures depuis la veille, chacun profitant de sa période de repos pour prendre quelques minutes de sommeil et récupérer ses énergies. Ils n'avaient remarqué aucune nouvelle arrivée sur le quai depuis qu'ils s'y étaient installés, à l'exception du capitaine du brick et d'un homme d'équipage qui avaient rejoint leur navire peu avant la noirceur. David avait d'abord songé à les interpeller, mais il s'était ravisé. Qu'aurait-il pu apprendre que ne lui avait pas déjà révélé le contrôleur? Puis, peut-être était-il plus prudent pour eux de ne pas dévoiler leur présence, surtout aux membres d'équipage d'un navire suspect sous surveillance.

Des activités d'embarquement s'étaient déroulées durant la soirée. Mais il s'agissait de marchandises qui étaient entreposées sur le quai lors de l'arrivée de David et du marchand, et ces derniers n'y avaient décelé aucun contenant qui aurait pu dissimuler des enfants.

C'était toujours David qui était de garde quand, vers deux heures et demie du matin, survint un agent de police. D'après son comportement, il semblait évident qu'il cherchait quelqu'un. David alla au-devant de lui.

— Est-ce vous, David Manuel? lui demanda l'agent en anglais.

— C'est moi.

— J'ai une dépêche pour vous, monsieur, de la part de l'inspecteur Johnson, du poste de Chatham.

David prit le morceau de papier que lui tendait l'agent et le lut à la clarté du fanal au kérosène que tenait le messager.

«*Monsieur Manuel*

On requiert votre présence ici, au poste, immédiatement.

— Qu'est-ce que ça veut dire? demanda-t-il aussitôt à l'agent.

— J'ignore de quoi il s'agit, monsieur. On ne m'a pas fait part du message.

David s'adressa au marchand, qui s'était réveillé au son des voix.

— L'inspecteur Johnson me demande de retourner à Chatham. J'ai pas envie d'abandonner notre vigile alors que les petits sont p'têt' réellement ici.

— Monsieur Manuel, à mon avis, si l'inspecteur a pris la peine de nous envoyer ce message, il doit avoir des nouvelles de vos enfants. Réjouissez-vous de ce nouveau développement et partons tout de suite.

— Oui, vous avez sans doute raison. D'autant plus qu'on n'a rien vu ici qu'a pu susciter not' intérêt.

S'adressant au messager, qui attendait toujours une réponse, David déclara:

— Nous retournons à Chatham. Tu peux en aviser l'inspecteur Johnson.

CHAPITRE

es ténèbres s'étaient installées depuis une bonne heure quand Wolverine quitta l'entrepôt en compagnie des enfants, ligotés et bâillonnés, pour se diriger vers le chariot déjà attelé au vieux cheval. Le capitaine Brodrick avait regagné son navire plus tôt dans la soirée, accompagné de Smith. Le ravisseur considérait qu'il l'avait échappé belle. Si le capitaine avait eu vent de l'évasion de Robert, la transaction aurait été définitivement annulée.

Wolverine était conscient qu'il entreprenait un trajet dangereux, mais il en avait vécu d'autres, des expériences risquées, et il s'en était toujours bien tiré. Aussi avait-il confiance qu'il réussirait encore. Mais ce serait probablement la dernière fois qu'il trempait dans ce genre d'affaires. À son âge, cette sorte d'aventure ne l'attirait plus comme auparavant. Il disposait de quelques économies et il trouverait sûrement autre chose pour boucler l'année, une activité moins susceptible de l'amener à finir ses jours en prison.

Étant donné qu'il connaissait très bien la région, il repéra les rues et les sentiers les moins fréquentés pour sortir de Newcastle et pour contourner le centre-ville de Chatham, de sorte qu'il se retrouva, moins de deux heures plus tard, à proximité de Loggieville.

Les enfants ne pouvaient pas communiquer, bâillonnés comme ils l'étaient. Mais la simple présence de l'autre leur apportait mutuellement un réconfort, malgré que les chances d'être secourus leur parurent désormais assez minces. Il s'était écoulé vingt-quatre heures depuis l'évasion de Robert, et il n'y avait toujours aucun signe de secours à l'horizon. Les propos du capitaine Brodrick avaient suscité chez eux une lueur d'espoir. Apparemment, la police savait que des enfants avaient été enlevés et qu'ils se trouvaient dans la région. C'était sans doute Robert qui avait sonné l'alarme. Mais les efforts de recherche ne semblaient pas porter fruits. Et on les transportait maintenant vers Loggieville, où personne n'avait de raison de soupçonner leur présence et où on devait les embarquer sur un bateau vers une destination inconnue.

Comment échapper aux griffes de ce méchant homme, qui les promenait ainsi depuis déjà trois jours? Les petits se résignaient graduellement à leur sort, souhaitant que ce qui les attendait ne s'avère pas aussi terrible que les pires scénarios qu'ils avaient eu le temps d'imaginer. Émilie ne songeait même plus, désormais, à utiliser son pouvoir unique pour recouvrer sa liberté, ses tentatives ayant tant de fois échoué.

Le triste cortège aboutit au quai de Loggie-ville vers minuit, sans avoir rencontré qui que ce soit qui eut pu compromettre le projet sordide du ravisseur. Comme l'avait prédit le capitaine Brodrick, les alentours du quai n'étaient pas surveillés. À cette heure tardive, on n'y voyait nulle âme qui bouge.

Wolverine gara son attelage en arrière de l'entrepôt que lui avait désigné le capitaine du brick et alla vérifier les environs afin de s'assurer qu'il n'y avait personne. Il fit ensuite descendre les enfants et les conduisit vers la grande porte d'entrée, qu'il put déverrouiller grâce à la clef qu'on lui avait remise.

Une fois à l'intérieur, l'homme libéra Paul et Émilie de leur bâillon. Il faudrait bien leur donner à boire et à manger. De toute façon, il ne craignait pas qu'un passant risque de les entendre durant les prochaines heures ; mais il aurait soin de le leur replacer au matin, avant que ne commencent les va-et-vient habituels que l'on pouvait s'attendre à voir autour du quai. Il veillerait aussi à écarter le risque que des curieux s'approchent de trop près de la marchandise jusqu'à ce qu'elle soit en sécurité dans la cale du navire.

Il accrocha à un clou le fanal qu'il tenait à la main et qui répandait, à une faible distance autour de lui, une lumière blafarde. Il n'eut pas de peine à trouver les grandes caisses, destinées au transport du bétail, dont lui avait parlé le capitaine Brodrick. S'étant dirigé vers celle qui portait le nom du brick, à quelque distance de la porte d'entrée, il en souleva le panneau et déclara, d'une voix qu'il voulut rendre rassurante :

— Il faut que je vous laisse ici durant quelque temps. J'ai des courses à faire. Dans cette caisse, vous serez en sécurité. Quand je reviendrai, j'aurai une belle surprise pour vous.

Les enfants n'en croyaient évidemment rien. Puisqu'ils avaient pu suivre une bonne partie de la conversation entre les trois hommes, au quai de Newcastle, ils savaient désormais à quoi s'en tenir. Wolverine ne se doutait pas que Paul et Émilie comprenaient aussi bien l'anglais. Il les avait enlevés dans un village francophone et, depuis lors, il n'avait communiqué avec eux qu'en français.

Malgré qu'il connût la gravité de leur situation, Paul se demandait s'il n'était pas préférable de coopérer afin d'éviter d'être malmenés, comme l'étranger avait menacé de le faire s'ils n'obéissaient pas à ses directives. Émilie, cependant, considérait les choses tout autrement. Elle était déterminée à ne pas pénétrer dans cette cage.

— Regardez, je vous ai apporté une délicieuse collation, ajouta l'homme.

Et il se pencha afin de déposer dans la caisse un panier qu'il tenait sous le bras. Quand Émilie le vit s'incliner à l'intérieur de la prison qui leur était destinée, sans réfléchir vraiment à ce qu'elle faisait, elle formula dans sa tête:

— Porte, r'ferme-toi, vite! Un peu comme elle l'avait fait un an plus tôt, quand Paul était sorti de la maison en laissant la porte ouverte.

Aussitôt, le panneau de la caisse se rabattit violemment, entraînant le ravisseur avec lui, le faisant culbuter et l'emprisonnant à l'intérieur. Sans perdre un instant, Émilie se précipita et enfonça le loquet dans le mentonnet, avant que le prisonnier n'ait eu le temps de se ressaisir. Quand ce dernier se rendit compte de ce qu'il s'était passé, il vociféra tant qu'il put, menaçant les deux enfants des pires sévices s'ils ne le libé-raient pas immédiatement.

Paul et Émilie sortirent de l'entrepôt et s'en-fuirent aussi vite que le leur permît la corde contraignante qui les reliait toujours. Quand ils s'arrêtèrent enfin pour reprendre leur souffle, Paul dit à sa sœur:

— J'comprends vraiment pas c'qu'est arrivé. T'as vu la porte se r'fermer tou' seule? Comme si une main invisible lui avait flanqué une de ces poussées.

Puis il enchaîna :

— Crois-tu qu'y avait quelqu'un d'aut'
là-d'dans?

— C'est possible, répliqua Émilie, contente
de l'occasion qui lui était offerte d'apaiser la
curiosité de son frère sans qu'elle ait besoin de
révéler son secret.

— Moi, j'ai vu personne, mais y faisait très
sombre, renchérit-elle.

— Sais-tu quoi? On devrait p't-êt' prendre
le chariot et le cheval. Ça serait plusse facile de
r'tourner chez nous.

— D'accord. Allons-y.

Ils rebroussèrent chemin. Ils s'apprêtaient à
monter sur le siège de la voiture quand Émilie
s'exclama :

— Les ustensiles!

— Quoi, les ustensiles?

— Dans le chariot, y'en a beaucoup. Y'a des
couteaux aussi. On pourra enfin s'débarrasser
d'cette vilaine corde.

Se souvenant que leur ravisseur avait emporté avec lui le coffret d'ustensiles avant de les enfermer, lors de leur enlèvement, ils allèrent fouiller sous la banquette, où ils découvrirent aussitôt le pot aux roses et l'outil qu'il fallait. Puis, les rênes en main et à force de supplications, Paul réussit à faire avancer la monture, qui emprunta l'allée du quai menant vers le centre du village.

aul avait réussi à faire avancer le cheval jusqu'à la rue *Water*, une des deux voies qui traversaient le village de Loggieville d'est en ouest, sans savoir où ils se dirigeaient. Une seule idée le guidait : mettre autant de distance que possible entre eux et le ravisseur.

Arrivés à une croisée de rues, ils aperçurent un panneau indicateur, juste en face, mais il faisait trop noir pour qu'ils puissent en lire les indications. Paul arrêta l'attelage. Émilie devina son dilemme.

— Attends, s'écria-t-elle en sautant en bas du chariot. J'vais aller voir c'qu'y est écrit.

Une fois remontée sur la banquette, elle dit :

— Napan, Baie-du-Vin et Hardwicke, à gauche ; ça, c'est par chez nous. Puis Chatham, à droite. Chatham est beaucoup plusse proche, et la police pourrait sans doute nous aider.

— T'as raison. Pis Robert est p't'êt' encore là.

Paul dirigea l'attelage à droite, le cheval reprenant sa lente cadence. Malgré qu'il faisait nuit, le ciel était dégagé et une demi-lune éclairait suffisamment pour leur permettre de distinguer la route.

Quand ils parvinrent aux confins de la ville de Chatham, ils poursuivirent sur la même voie, qui portait toujours le nom de « *Water Street* ». Tout à coup, deux agents de police surgirent de l'ombre et se précipitèrent vers le chariot en criant :

— *Stop ! Hold it right there !*

La monture s'arrêta aussitôt. Paul et Émilie furent tellement surpris par l'assaut inattendu qu'ils laissèrent échapper tous deux un cri de frayeur. Les policiers furent stupéfaits eux-mêmes à la vue des enfants. Ils avaient cru reconnaître la voiture recherchée, grâce à la description que leur en avait fournie Robert, qui se déplaçait sans le fanal réglementaire, de surcroît, et ils s'attendaient à trouver son propriétaire aux rennes.

— *My God! What on earth …?*

Paul retrouva le premier l'usage de la parole. Il avait reconnu l'uniforme des policiers.

— *Please, help us!*

— *They must be the two kids we are looking for,* dit l'un des policiers à son collègue. *Let's take them to the station.*

L'inspecteur Johnson avait décidé de rester en service toute la nuit, afin d'être présent au cas où il y aurait de nouveaux développements dans l'affaire de l'enlèvement. Il n'avait pris que deux heures de sommeil après le souper, avant de revenir au poste. Il faillit tomber en bas de sa chaise quand il vit entrer les deux agents en compagnie des enfants. Il devina immédiatement de qui il s'agissait.

Il courut les accueillir et les conduisit dans son bureau avec beaucoup de sollicitude, tout comme il l'eut fait avec ses propres enfants.

Après s'être assuré qu'il avait bien devant lui les deux autres victimes de l'enlèvement, il leur offrit à boire et à manger et les laissa se reposer quelques minutes avant de les questionner. Pendant ce temps, il décrocha le combiné du téléphone et composa le numéro du détachement de Newcastle pour leur demander de porter un message à David Manuel, posté en sentinelle sur le quai.

L'inspecteur Johnson révéla d'abord aux enfants que Robert se trouvait en ville, sain et sauf, et que leur père serait là sous peu. Ces renseignements eurent l'heur de les réjouir, eux qui, jusque-là, étaient restés sans nouvelle de leur frère aîné depuis qu'il leur avait chuchoté à travers la cloison du chariot sa promesse de les secourir. Puis, l'inspecteur les invita à raconter, en autant de détails que possible, ce qu'il s'était déroulé depuis leur arrivée à Chatham, la nuit précédente.

Une fois le récit des enfants terminé, l'inspecteur Johnson dépêcha immédiatement trois hommes vers Loggieville, afin d'y cueillir Wolverine. Cette démarche fut suivie d'un appel téléphonique au détachement de Newcastle, enjoignant à son vis-à-vis de procéder sans tarder à l'arrestation du capitaine Brodrick et de son complice Smith. Le témoignage de Paul et d'Émilie concordait parfaitement avec celui de Robert.

Les preuves contre Smith et Wolverine étaient plus que suffisantes pour les retenir au moins jusqu'à ce qu'un juge se prononce sur la tenue d'un procès. Quant au capitaine Brodrick, on l'avait entendu comploter de trafic d'enfants avec les deux autres criminels. Cet élément de preuve était considérablement accablant et autorisait à le placer en détention provisoire. Il fit également rappeler les deux sentinelles qui étaient toujours en faction aux abords du port de Chatham.

David et monsieur Ozouff avaient mis environ une heure pour refaire le chemin vers Chatham. Dès qu'il eut franchi la porte du poste de police, David aperçut Paul et Émilie. Il s'arrêta net, la bouche ouverte et les yeux écarquillés, paralysé momentanément par la scène que son conscient refusait d'accepter comme réelle. Ce sont les cris des deux enfants s'élançant vers lui qui rompit son état d'hébétude. Les retrouvailles se firent au milieu des pleurs et des exclamations de joie, le père serrant ses chers petits secoués de sanglots pendant de longues minutes. Le marchand ne chercha pas, lui non plus, à retenir ses larmes devant ce touchant spectacle.

— Papa, finit par dire Paul, quand il eut retrouvé sa voix, un homme méchant nous a enl'vés et on a réussi à s'sauver.

— Quoi? Vous vous êtes libérés tout seuls?

— Papa, enchaîna Émilie, le méchant monsieur qui nous a enl'vés, y est emprisonné dans une caisse, là-bas, dans l'entrepôt.

Le père, abasourdi par ces révélations, tourna un regard interrogateur vers l'inspecteur Johnson. Celui-ci lui sourit en opinant de la tête.

— Venez, monsieur Manuel, je vais tout vous raconter.

L'inspecteur renseigna David sur l'héroïque évasion de Paul et d'Émilie et sur les derniers détails des opérations en cours, puis il conclut en disant:

— Vous avez là des enfants tout à fait exceptionnels.

— Merci. J'suis très fier d'eux, en effet. J'arrive pas à croire tout c'qui s'est passé. Mais, j'y pense. Y faudrait envoyer un message à ma femme, Vitaline, pour y annoncer la nouvelle et met' fin à son cauchemar.

— Nous devons attendre à sept heures, lorsque le poste télégraphique d'Escuminac reprendra son service. Nous enverrons une dépêche aussitôt.

Joseph Ozouff, qui avait entendu la fin de la conversation entre les deux hommes, s'avança et dit :

— Mon épouse est sûrement aux aguets, dans l'attente de nouvelles de ma part. Vous pouvez être certain, monsieur l'inspecteur, qu'elle n'attendra pas à sept heures pour allumer le récepteur. Et je sais qu'elle trouvera moyen de faire suivre le message à madame Manuel dès qu'elle le recevra.

— Alors, nous essayerons de transmettre à partir de cinq heures.

Au moment où David et le marchand, en compagnie des deux enfants, s'apprêtaient à sortir du poste de police pour se rendre auprès de Robert prendre quelques heures de sommeil avant de repartir vers le Bois-Franc, les trois agents dépêchés à Loggieville franchirent la porte. Il se fit un silence dans la pièce, qui dura un certain temps. Puis l'inspecteur demanda :

— Alors, vous l'avez récupéré, le prisonnier ?

— Malheureusement, non, inspecteur.

Et comme le porte-parole des trois agents hésitait, visiblement déconfit que lui incombe la tâche d'annoncer la mauvaise nouvelle, l'inspecteur Johnson reprit :

— Mais, expliquez-vous !

— C'est qu'il n'était plus là, inspecteur. Quand nous sommes arrivés là-bas, la porte de la caisse avait été défoncée et le ravisseur avait pris la clef des champs. Nous avons bien cherché partout, mais aucun signe de lui.

— Évidemment. Il n'est pas resté là à attendre d'être cueilli comme un fruit mûr.

— Il court encore, l'enfant de Lucifer, ne put s'empêcher de proférer le marchand.

— Oh, ne vous en faites pas. Nous le retrouverons, affirma l'inspecteur. Il ne pourra pas s'esquiver bien longtemps. Toutes les forces policières de la province seront désormais à ses trousses. Maintenant que nous détenons son signalement, j'ai confiance qu'il sera mis aux arrêts sous peu.

— Qu'est-ce qui va advenir du navire du capitaine Brodrick? questionna David.

— Brodrick en est l'unique propriétaire. On a arraisonné le vaisseau jusqu'à nouvel ordre. L'équipage sera interrogé. Il se peut bien que les hommes du capitaine n'étaient pas au courant de son commerce illicite. Si c'est le cas, ils seront relâchés et ils pourront rentrer chez eux. Ils sont Américains, pour la plupart. On inscrira leurs coordonnées au dossier, au cas où on aurait besoin de leur témoignage ultérieurement.

— Alors, nous, on peut quand même rentrer à la maison?

— Oui. Vous avez déjà signé les dépositions au nom des enfants. Il faudra ramener les petits comme témoins, quand le procès aura lieu. Mais, je pense que ça ne sera pas pour bientôt. Le procureur de la Couronne voudra probablement attendre qu'on ait mis la main au collet de Wolverine et que l'enquête soit complétée avant de procéder.

— Bien sûr que nous r'viendrons, monsieur l'inspecteur, et ça nous f'ra plaisir! conclue Amélie, à la surprise générale, un commentaire que tous accueillirent en riant.